死後を生きる生き方

横尾忠則
Yokoo Tadanori

a pilot of wisdom

これはファンタジーとして、半分はファンタジーの話として読んでください。あるいは、物語でもかまいません。そういうふうに読んでもらわないと、最初の何行かでこの本を閉じてしまう人がいるかもわからないからです。でも僕は、そういう人にこそ読んでもらいたいと思います。

目次

第二章　死の向こう側

第三章　死後を生きる

優れた芸術作品には
死のメタファーが潜んでいる
死の世界はコンセプチュアルではない
絵を描くことで
死のシミュレーションをしている
人は二つの時間を生きている
アートが見せる未来の現実
悪夢の効用
宇宙のすべての記憶にアクセスする
現実をコントロールしないで生きる
AIは究極の反自然主義
空っぽの世界
「自分は何者でもない」と言う
アンディ・ウォーホル
人の本音に透けて見える「魂」
脳は嘘をつくが、
魂は嘘をつかない
なぜ、僕は死後の世界の
存在を認めるのか
死から生を眺める技術

第四章　死への準備

おわりに

編集協力／髙木真明　構成／今村守之
目次・扉デザイン・図版レイアウト／MOTHER

はじめに

編集部から死に関するエッセイを依頼された。生きている以上、死はついて回るが、死は頭で考えるものなのか身体で感じとるものなのか、どちらだ。そこまで突きつめて考えたことがなかったが、編集部から、質問が矢継ぎばやに来るので、逃げられないというか、追いつめられたような感じになるのだった。

何でもいいから、思いついたことから死を語ることにした。死についてはたぶん我流の死論になるというか、死の独学である。すでに哲学者や宗教家や文学者が語りつくしたことを、さも、たった今、発見したかのように語っている自分がいることを恥じもしないで……。ああ恥ずかしい。

死を語ることは結局自分を語ることになる。死を肉体的なものと見るか、精神的なものと見るか、人それぞれだが、どうも肉体的でも精神的でもなく、霊的なものではないかと思えてきた。そんなことを考察できるかどうか、これも自信がないが。

NIKE

ポートレイト・アトリエ撮影／森山大道

第一章　死とは何か

生命誕生から三十六億年間の生と死のリレー

生物が連綿と生と死のリレーを繰り返して今日に至っているとするならば、やはりそれぞれにおいて、生まれてきた理由と死ぬ理由の両方が存在します。

肉体的な寿命というのは人によってさまざまです。もちろん、外因としてはガンに罹《かか》ったとか、自動車にはねられて死んでしまったとか、急性心不全を起こしたとか、いろいろあります。

ただ、不可視的な世界、魂の次元では別個の、何らかの理由があると思います。その人は、そのときに死ぬべき宿命に従って生まれてきたのかもしれません。

一見、偶然のように見えても、その人の人生や生活の中で起こる物事はほとんど必然じゃないでしょうか。

我々は、何かと言うと、わからないことを「偶然」ということにしてしまうけれども、僕は、必ずしもそうじゃなくて、この世界というか、宇宙そのものが必然的な法則、つまりある深淵《しんえん》なルールに従っていると思うんです。

たとえば、社会的な大きな事故に巻き込まれるようなことがありますよね。そういう、自分たちの想像や思考の及びもつかないものや予定になかったものに関して、ついつい偶然という言葉で片付けてしまっていることが少なくありません。社会の責任とか、誰か他人が危害を加えたからとか、第三者のせいにするわけですが、その責任の大半は自分にあるんじゃないでしょうか。

だから、生まれる日も、死ぬ日も、宿命によって計画されている。ただ、その中でも、ときたま延命されることもあると思います。

もっとも、徳を積んで、寿命が延長される人もいると思います。その反対に、寿命を短縮されることもあるんじゃないでしょうか。

それは、その人のカルマ（業）なども作用するわけだし、それこそ宿命だからしょうがないと言えばしょうがないでしょう。だとすると、長生きすることが必ずしもいいとは思えません。

ある人が子供を亡くすと、悲しんだり、苦しんだり、嘆いたりします。だけど、それだって、親の運命というか、親のカルマの解消のためにあるのかもしれません。子供はたまたまそういう役割を負わされただけに過ぎなくて、実は子供の問題じゃなくて、親の問題だったということもあるんじゃないかと思います。

だから、現実の評価と僕の想像する別次元の評価が違うのかもしれません。こういうことは、ほとんど誰も語らないけれど、本当は人間の生き方と一体化しているんじゃないでしょうか。ただ、事実を事実として見るだけではなく、そのことの背景に視点を移して考えてみることも必要じゃないかと思います。

死への意識を持った日

死というものが、どうも僕の中に深く取り憑《つ》いているんじゃないかなという感覚は、若いころから何となく自分の発想の根源にありました。

生まれて物心がついたころ、僕はすでに横尾家に養子に入っていて、そこの養父母に育てられるんです。正式に結婚していなかった両親なんですが、「おまえは天から降ってき

《想い出と現実の一致》
1998年。富山県美術館蔵

た」とか、「橋の下で拾ってきた」とか、何か不思議なフィクション化したことをよく言っていました。

僕は、実の親だと思っている人がそんなことを言うものだから、何だか物語の主人公になったような気がして、そのせいか、やがて現実的にも空想癖に取り憑かれるようになりました。


こんなことを思い出します。

二歳くらいだったと思いますが、台風で町を流れる大きな川が氾濫し、濁流が橋を壊してしまいました。そこには仮設の橋が架けられたのです。

粗末で不安定な浮き橋の上を父が自転車を押して渡っていた姿を、河原を歩く母の背中の温もりを感じながら見ているうちに、「現在の親子関係がいつまでも続くはずがない」という感情が幼な心に湧き起こっていました。その感覚が死の観念を呼び込んだのかもしれません。そのころは言葉で考えていなかったと思うんですけれどね。

それで、前から変だなと思っていたんだけれども、そのうち、どうも僕はこの両親から生まれていないんじゃないか、と強く疑うようになっていったのです。

しかし、そんな疑問が十代のとき、現実のことだとわかるんですがね。

老齢の両親を見ていると、早く死ぬだろうと。自分の死よりも恐れていました。一人っ子だったこともあって、両親の死にすごく執着していたんですね。

それと、もう一つ死の恐怖ということで思い出すのは、八歳のときの出来事です。

太平洋戦争が一九四一年末に勃発したのです。

開戦と同時に、戦争一色になって、本土空襲が始まり、米軍のB29やグラマン戦闘機がどんどんやってくるようになりました。家の前から正面に見える山の向こうの空が、神戸や明石《あかし》が空襲になると真っ赤っかに染まるので、そんなヴィジョンからくる恐怖というのは今も脳裏に焼き付いています。

当時は兵庫・西脇《にしわき》の小学校（西脇国民学校）に通っていましたが、ある日、朝礼をしている最中、グラマン戦闘機が運動場の背後の山の頂上から四機急降下してきて、パイロットの顔も見えるくらいの低空でやってきました。警戒警報もなくいきなり襲われたわけです。高高度で飛行すると、日本軍のレーダーに映ってしまうから、うんと低いところを飛んでくる。だから、屋根すれすれとか、山すれすれとかに現れるんです。

このときはものすごくびっくりしました。全校の生徒が運動場に一〇〇〇人くらい集まっていました。それで先生が「逃げろー!」って叫んで、僕たちも校庭の端のほうへ必死で逃げました。運動場にいると、機銃掃射される可能性がありますからね。

結局、グラマンは校舎の窓を振動させ、バリバリバリッとすごい音を立てながら、飛び去っていった。山を越えたら谷間に子供が大勢いたから、パイロットも驚いたのか、よく機銃掃射しなかったと思います。

これが、直接的かつ身体的な最初の死の恐怖でした。

そういう社会的な死の恐怖と、両親が死ぬという個人的な死の恐怖。その二つに、僕はずいぶんと影響を受けた。その後の死の恐怖が、幼少期にそのまま細胞化されてしまったような気がするんです。

父母の死

小さいころから両親の死に対する恐怖を抱いていたと言いましたが、その父親は結局、六十九歳のときに脳溢血《のういっけつ》で亡くなるんです。僕は二十四歳だった。

父親が死んだのは、僕が大阪から会社ごと上京したナショナル宣伝研究所を辞めた年だから、一九六〇年。そしてその年、設立されたばかりの東京の日本デザインセンターに入って、四年後に辞めたんですね。父の死後、五年して母が七十四歳で膵臓《すいぞう》ガンで死んだので、ちょうどそのころになりますね。

二十代のうちに両親がいなくなって、それからは死そのものだけでなく、死後の世界といったところにまで、死のイメージを膨らませて考えていくようになっていきました。

生まれながらにそういう、ここではないもう一つの世界と言うのかな、現実と分離したもう一つの現実があるんじゃないかという感覚を持ったのはたぶん、子供のころ、両親と言いながら、でも、どうも両親じゃなさそうだなという、そういう疑いが僕の中にずっとあったことと無関係ではなかったですね。

もう一つ、別の世界があるんじゃないか。現実と分離したもう一つの世界というのは、死後の世界だったように思うんです。わりと、先天的にそういうことを感じる因子が僕の中にあったのかなと思います。それが、いつごろからと言われてもわからないですけれどね。

そう思うようになった具体的なきっかけは両親の死や、友人、知人の死だったと思うのですが、それも僕にとっては自然なことだと思っていたんですよね。だから、異なった二つの世界が同居しているという感覚が子供のころから常にありました。

たとえば、これも西脇にいたころだけれど、小川に魚を捕りに行くんですよね。そのときは大雨で、小川の水がミルクティーみたいに茶色っぽくどろどろになっているんです。だけど、その濁ったミルクティーのような泥水の小川の底のほうに、四匹の鯉《こい》が泳いでいるのをはっきり見たんですよ。普通は泥水だから見えないのだけれど、幻視したんですね。泥水の中で、四匹の鯉だけが透けて見えたんです。それで、一匹ずつ捕っていったんですよ。それが、まず、僕の記憶の中にある、最初の超常体験だったと思います。五、六歳のころです。

とにかく、そういう非現実的なことが次々と起こり始めました。

そのころ、流れ星が飛ぶと、飛んでいる間に自分の願い事を託せば、実現するということが迷信で言われていたんです。だから、何か欲しいなと思うでしょう。そういう願望を持つと、もうそのまま下駄を履いて外へ飛び出していくんですよ。すると同時に、流れ星がバーッと飛ぶんです。いつも、外へ行くと同時に飛ぶ。

僕の場合は、飛んだからお願いするというんじゃなくて、願いがあって、その要求を満たすために外に出たら流れ星がやってくる。思いが先で、流れ星が後。普通と逆なんです。だからあれは流れ星ではなく、別の物体だったのかもしれません。

こんな経験を繰り返すと子供心にも現実と虚構が入り混じり、どこかで一体化していくんですよね。だから生という現実と同一化して、もう一つの現実、つまり死という現実までも、もう一つの分離した現実と考えるようになったんです。ついには、生と死は一つのものだということが確信されてしまうんです。

マウリッツ・エッシャーという画家がいますよね。階段を上がっていったと思ったら、下りているみたいな作品（『上昇と下降』）があるでしょ。生と死の関係を図像化した場合、あのエッシャーの世界によく似ているんじゃないかと思います。

ここに挙げたような体験は、その後も今に至るまで数限りなくありますが、社会人になってからは、非科学的な事象に関しては変に思われることが多いので、人に話さなくなってしまいました。だけど、僕の作品にはどこかでそれが表れているかもしれません。

生きている人間はすでに死を経験している

まず、死はなぜ怖いのか。どうして死を恐れるのかということです。

幼児などは死に対する恐怖ってたぶん、ほとんどないと思います。ないけれども、本能的なものとしては、時間が経《た》てば経つほど、それは幼児の中で実体化してくると思うんです。

僕は、死が怖い。なぜ怖いのかと言うと、そこには二通りあると思います。

一つはフィジカル（身体的）な問題と、もう一つはメタフィジカル（形而上的）な問題。フィジカルというのは結局、肉体です。だから肉体が消滅するという意味の死ですが、僕は、子供のころからの異界体験によって、唯物的な考え方はできなかったですね。そういう考え方は、知識人に圧倒的に多いと思うんです。つまり、頭で考える死ですね。それはフィジカルな、頭脳を通して考える死です。

もう一つ、僕が思うのは、人はもうすでに死を経験してきていて、自分がかつて死を経験したときの記憶によって、無意識的に死を恐れているんじゃないかということです。

それはどういうことかと言うと、いきなり核心的な話になるんですが、輪廻転生《りんねてんしょう》を否定してしまう人にとっては、肉体が消滅することのほうが怖いわけです。つまり、自分の存在というのは脳なんだ。肉体こそが自分なんだという考えです。肉体が傷つけられたり、呼吸ができなくなったりすること、それが死なんだと考える。だから怖いと言うんだけれども、僕はそうじゃなくて、人間は誰でも、かつて死を経験して今生に生まれるまでに魂が待機していた期間があると思います。その期間が死の時間です。だから、無意識の記憶によって死を恐れるんだと考えるんです。

自分という肉体を構成する細胞か何かが突然できたわけじゃなくて、男女の精子と卵子が結合して、それが子宮内で成長して、産道を通って子供として生まれる。これはすごい神の世界で、科学を超えています。

人知では理解できないサプライズですよね。そんなメカニズムを通さないで、マジックみたいにポンと生まれたほうがわかりやすいんだけれども、現実的には、人間というか動物の生命の誕生のプロセスは、想像を絶するメカニズムによるわけです。

子供になる前は精子と卵子の状態ですが、あるいはその前もあると思うんです。精子と卵子がなぜできたのかと考えた場合、その元があるはずなんですよ。その元は何なのかというと、意識みたいなものじゃないかと思うんです。そうすると、そこに前世が設定されるんですね。前世から今生に生まれてくるときに、何らかの形の、何と言えばいいのか、いきなりポンと出るんじゃなくて、何かそこに生まれなきゃいけない理由があるはずなんです。

生まれるための必然的な何らかの手続きがあって、その手続きをパスして、それで生まれてくるんじゃないかというふうに考えるわけです。そうすると、自分がなぜ生まれたのかと訊《き》かれたときは、自分では知りません、わかりませんということになるんだけれども、本当は生まれる以前の、ただ、意識だけの状態のときにはもうすでにそのことがわかっていたんじゃないかと思います。生まれるという意思があったと思うんですね。

二人の親が結合しないと、自分が生まれることはない。だから宇宙的なところから神のような意思のサジェスチョンがあって、あの二人の両親の間に生まれてみたいというようなことがあったと思うんですよ。ところが、その後は未知ですよね。だけど、実際は未知じゃなくて、意識であったと同時にそれをまた管理するような、もっとすごい宇宙的法則のような存在があったんじゃないかと思うんです。それは神と呼んでもいいんです。

繰り返しになりますが、僕は今、架空の話と思われるようなことを話しています。科学的な根拠に基づいて話をしているんじゃない。現在の科学の領域は、まだまだ未熟だと思うんです。神の領域には達していない。そんな領域を大方の人たちは無視しているから、僕の想像なんて相手にしません。また、興味もないと思います。

あえて科学を無視して言わせてもらえば、生まれる以前に何らかの存在がいたと思うんですよ。自分をリードした存在が。それは宗教なら、守護霊みたいな言い方になるのかもしれないけれど……。そんなものではなく、もっと大きな宇宙的法則のような存在。やっぱり、神としか呼びようがないのかもしれません。

世代によって異なる死に対する感覚

石原慎太郎（作家、政治家）さんが亡くなる直前に書かれた自伝（『「私」という男の生涯』幻冬舎、二〇二二年）を読むと、死について悩んでいるんですね。

彼は僕より四つ、五つ上だから、まず、子供のときの戦争体験が全然違います。僕なんかは、小学三年生のときに終戦でしょ。そうすると、まだ幼児性が抜けていないんです。だけど、石原さんの年齢からするとたぶん、そのころは中学一、二年だし、もう少しいろんなことが理解できたと思うんです。

今のような年代になってしまうと、知識とか、教養とか、歴史観とかがもう一緒くたになってしまって、すべてがノッペリと平面的に見えるけれど、子供のころは一歳、二歳違うだけでも両者の差異は大きいでしょ。特に文化的な体験なんて、一、二年でガラッと変わりますから。

終戦の体験でも、GHQ（連合国軍最高司令官総司令部）が入ってきて、ダグラス・マッカーサー元帥（同軍最高司令官）が厚木飛行場で降りてきたあのショット。レイバンのサングラスにコーンパイプをくわえている写真は、僕にとってスーパースターが降りてきたみたいでした。

ところが、石原さんのような僕より何歳か上の人たちはたぶん、そんなふうに見ていない。彼らは非常に反米的な意識が強いと思うんです。保守派の論陣を長らく支えてきた渡《わた》邉《なべ》恒雄（読売新聞グループ本社代表取締役主筆）さんでさえ、終戦後の一時期は共産党員だったといいますからね。

僕たちの世代はもう反米意識ゼロですよ。それどころか、進駐軍がアイドルになってしまう。

僕なんかは、そのままずーっと大人になってきてしまっているから、そういうことから、生と死に対する感覚や意識はずいぶん違うなと感じています。

僕は、死んだら無になるとは思わない。それは何でかって言われてもわからないんです。だけど、石原さんみたいに知性や思想で考えられない。もっと感覚的というか、肉体的な体験の想《おも》いがそのまま本能的なんですよね。

子供のころ、クラスにお坊さんの息子がいましてね。お寺へ遊びに行くと、そこに地獄絵があったり、お坊さんが死後の話をしてくれたりしたんですよ。やれ、どこそこの家で誰が死んだ、やれ、そこの家の屋根のところから火の玉が飛んだ……。そういう話というのはわりかし、しょっちゅう聞かされていました。田舎ということもあったでしょうけれどね。

あるいは、巡業のお化け屋敷でのおどろおどろしい体験もおぼろげに記憶しています。このような前近代的な土俗的な環境の中で、子供時代を送ったことが、死というものをすごく柔軟に受け入れさせているんだと思います。人は死ぬんだって。死んで当然だって。それで、死後の世界があるというのを、お坊さんの地獄、極楽の話じゃないけれども、そういうことが知的に学問的ではない耳学問的な知識としてあるわけです。

土着的というか、土俗的な環境の中で、しかも、そういう時代に育っているから、死ぬということに対しては全然抵抗がない。抵抗というのか、死後の世界があるかないかということさえ、議論の対象じゃないんです。

ところが、石原さんは僕より歳上《としうえ》だし、学歴があるから、もっとその辺のことを理性的に考えるはずなんだけれど、やっぱり本能というより観念だから、彼は死後の世界を受け入れていないみたいです。

石原さんに限らず、あの世代から上の人たちは、ほとんど死と生を分離する。切り離して考えている。つまり、肉体の消滅によって生の世界と同時に死後の世界も消滅する、と。そういう考え方です。

じゃあ、文学的に、もしくは論理的に死を見つめたら、乗り越えられるかといえば、そんなことはないと思うんです。石原さんも、瀬戸内寂聴《じやくちよう》（作家、僧侶）さんも、死の間際には人並みの不安や恐怖があったはずなんです。

死んだとき、自分はどうなるのか。肉体は消滅する。あとは無だと、知性はそう考える。

彼らにとっては、魂は観念です。死んだときに何が残るか。その残ったものが、生きていたときに何ほどの価値をもたらし、あるいは役割を果たしていたのかということになってくるわけですが、虚無的に考える人にとっては何も残らないのです。

僕も二〇二二年、あるいはその前も何度か救急車で運ばれるという経験をしたから、その都度、いろんなことを思ったり、感じたりしているわけですね。

救急車で運ばれたときは、呼吸困難になって、寝転んだ状態で意識が薄れていく。これが死なのかなと感じました。

ある救急搬送では集中治療室に入れられましたが、医者がアタフタして、「体温が三十九度、ヤバいね」なんて話が聞こえてくる。救急車を呼んで運ばれて亡くなる人はこういう状況で亡くなったのかなぁと、そんなことをぼんやりと、半ば夢のように考えたこともありました。

僕は、急性心筋梗塞になったときは死に直面したけれども、普通の病気になったときも、誇大妄想的に「あぁ、死ぬのかな……」ということを何度か感じさせられました。でも、

《想い出劇場》
2007年。個人蔵

どうしてそういう病気でそう考えるのか、第三者的に見ればおかしいと言えばおかしいですけれどね。風邪をひいたときでも、「あ、これ、死ぬのかな」と思ってしまうことがあるんです。

死についてはもちろん、ある種の不安とか、恐怖とかもあるけれども、一方では死をどこかで受け入れているんです。その説明は、言葉じゃちょっとできないですね。

死と自分を同一化すれば、死は怖くない

僕は何度も救急搬送されています。このこと自体は異常事態で非日常的ですが、僕のように何度も救急車で搬送されると、ある意味で日常的です。

そういう意味では日常と非日常が分かち難く結びつき、その状態そのものが芸術的行為です。絵こそ描きませんが、肉体行為における芸術表現です。この状態をパフォーマンス化して発表こそしていませんが、この状況は非常に芸術的です。そして、現実に非現実が介入することによって、僕の絵画作品には知らず知らず大きい影響を与えていることにな

ります。だから、非現実的状況と現実は表裏一体化したものと考えられます。

その先にある死ぬ瞬間とか、死ぬ苦痛とかっていうのは肉体の苦痛ですから、もちろん嫌ですが、まだ生の側に立っているわけです。

だけど、死んで向こうへ行くということに関しては、全然嫌じゃない。逆に期待みたいなものがあるんです。これから扉が開いて、違う世界へ行けるんだなと思う。それは、どんな外国旅行に行くよりもエキサイティングです。そういう思いもどこかにあるんです。だから、死そのものは怖くない。でも、死んでいくプロセスというのか、まだ肉体的苦痛があるときが嫌だなという感じはあります。肉体の苦痛が多少なりとも介在するのはまだ生の側にいるわけですからね。

昔は今みたいに医学が進歩していなかったから、もっと簡単に死ねたと思うんです。今は医学が、生かそうとすることを良しとして努力しますから。その生かそうとするプロセスが苦しみを生んでいるわけでしょ。昔の人のほうが、静かに、穏やかに死ねたと思うんです。死が迫って、そのまま自然に臨終を迎えるというのが一番いいと思うんです。

ところが、医学は一秒でも長く生かそうとする。そういう医学的な義務があるわけです。昔の人は良くも悪くも、死を受け入れるしかなかったと思うんです。「もう早くお迎えが来てほしい」。そういったことを、親戚のおばちゃんとか、ばあさんとか、皆が言っていましたしね。

ああいうのを見ていても、今のような苦痛とは違う。何と言ったらいいんでしょうね。文字通り、どこか迎えに来られるような、あるいは、旅に行くような……。そんな妙な期待感もあったと思うんです。

実際、平均寿命というものも、昔と今ではもう大分違いますよ。二十年くらい変わってきているでしょう？〈一九五〇年〈男五十八・〇歳、女六十一・五歳〉、二〇二〇年〈男八十一・五六歳、女八十七・七一歳〉内閣府調べ〉だから僕なんかは、この歳で生きているということが不思議でしょうがないんです。

自分の仕事は単なるお仕事ではないけれど、生き方が作品のような感覚があるかというと、それはわからない。うまく説明ができないんです。

マルセル・デュシャン（アメリカの美術家。二十世紀の美術にもっとも影響を与えた一人とされる）だって、「自分のやっていることがわからない」って言っているんです。あれだけ頭脳明晰《めいせき》な人が、自分のことがわからない、何と説明していいかわからないっていうような意味のことを実際に言っているんです。それは、本当にそうだと思います。もちろん、自分についてペラペラ喋《しゃべ》れる人もいると思うんです。でも、それは、思いと観念がどこか分離しているんですよ。だから、言葉にしやすい。

イザというときにならないとわからない。僕はどちらかと言うと、イザに近づいてきていることは確かなんですけれどね。これが、まだ、肉体的苦痛を感じたり、ガンのステージⅣになったりすると、全然違うと思うんです。自分がまだそんな状態じゃないから、わからないけれども、今日、たとえば、病院に行きますよね。診てもらって、もし「実は横尾さん、ガンに罹っています。しかもステージⅣなので、もう余命は幾ばくもありませんよ」って言われたら、途端にガクンとくると思うんです。

今は、そんなふうに思っていないけれども、これは、生から死へ行く入り口の話だと思うんです。ここが一番、僕は難しいと思う。

若いころは、死に対する恐怖感がすごく強かったから、死の恐怖を乗り越えるにはどうしたらいいかをよく考えました。それで、死の世界、死ぬ側へ自分が立ってしまえば、死の対象に自分自身がなれば、死が怖くなくなるんじゃないかということで、そういったことを語る人たちを訪ねていったりしたんです。

デザイナー時代からの作品の中にも、それが一連のものとしてありました。そこに自ら近づいていったと言いますか。死から逃れるんじゃなくて、自分を死の対象にしてしまったら、逆に怖くないんじゃないか、と。死と自分との間に距離があるから怖いのであって、それを同一化すれば、怖くないんじゃないかと思ったんだけれど、こういうのもやっぱり考え方だから、そう簡単にころっと変わらない。

この歳までそのころの考え方を、ずーっと何十年も引きずってきているわけです。

「メメント・モリ」を超えて

「メメント・モリ」(memento mori)という言葉があります。元はラテン語で、「死を想え」とか、「死を忘るるなかれ」とか訳されていますが、これは生者が、死ないしは死後の世界について語っているものです。

死とは何かを考える、想うというのは、当然ですが、生きている、生ある者の一個の行為ですよね。

この言葉には「食べて、飲んで、そして陽気になろう。我々はやがて死ぬのだから」というメッセージが込められているんです。つまり、「より良く生きるために、死を想え」と言っているというわけです。生きている人間への教訓なり、導きなり、あるいは何らかの教えとするために。

死や死後のことを、きちんと自分が見つめるようになることにより、どういう効用なり、学びなり、教えがあるのかと問われたら、「僕は輪廻転生を信じるようになりました」と答えます。

人は「自分は死んだことがないからわからない」とよく言いますが、それは想像力と探究心の欠如です。輪廻転生を否定しては、死の問題は語れないと思うんですよね。

肉体は生の象徴でもあります。と同時に、生は死と常に対峙《たいじ》しています。生と死は切り離せない。両者は同体です。

そして、生の側から死を臨むのではなく、死の側から生を見る視点が重要になってくると思います。死の側から生を眺めるのは、死んだと仮定して、生を見つめるということです。生はある意味で、欲望と執着の煩悩の世界です。その煩悩の世界を裏返して見るという視点が死の側から生を見る視点です。自らを肉体的存在として見るのではなく、霊的存在として眺めることによって生の欠点が見えてくるはずです。生の側にいる我々は肉体を使って生を肯定的に生きていますが、その視点を逆転することで、見えなかった生が見えてくるはずです。

「死を想う」、メメント・モリは生を主体にした見方です。だから、この辺で死の側に立って「生を想う」という「死を主体にした見方」を試してみるというのも面白いのではないでしょうか。

いつか、今生と別れるときが誰しもやってきます。そのときに、霊性の高い存在としていたいと思いますが、じゃあ、マザー・テレサ（カトリック教会の修道女、聖人）みたいに、ああいうふうに救済活動をすれば、霊性が高くなるのか。霊性の高い、低いは、そういうこととは関係がないと思うんです。また、こちらで、立派な科学者が人類のために必要なものをいろいろと発明したとか、発見したということとかも、霊性とは関係ない。霊性というのは、もっと個人的な問題だから、その人が社会的にどれだけ評価されていても霊性を高めることには繋《つな》がらないみたいです。霊性はそういうものではない。むしろ、知性や感性とは対立するものでしょうね。向こうへ行くと、霊性の高さによって「行く場所」が定められると思います。

僕が書いた小説『原郷の森』（文藝春秋、二〇二二年）には、社会的に成功した人がたくさん出てきます。けれども、霊性を高めようとして自分の仕事をやった人なんていないと思うんですよ。とはいっても、それはその人に一緒についてきたものですから、こちらで社会的にというより、むしろ自我を離れて、欲望と執着から自由になって、普遍的な個の探究をした人は、やっぱりそれは霊性を自然に高めているということにも繋がっていくのかなと思います。

ともかく、具体的に霊性を高めるノウハウはないわけです。逆にそれを意識すればするほど、おかしなものになります。

第二章　死の向こう側

無意識は死の世界を感じている

話が少し飛びますが、ダンテ・アリギエーリの『神曲』（イタリア文学最大の古典とされる長篇叙事詩《ちょうへんじょじし》。地獄篇、煉獄篇《れんごくへん》、天国篇の三部からなる）の中で、最初に出てくる、ウェルギリウスという水先案内人的な存在がいます。そういうガーディアン・エンジェル（守護天使）的な存在が、ある人が霊界にいるときに「おまえはもうそろそろ生まれてもいいんじゃないか」と言います。その存在は、生まれる以前からその人をガードしていました。彼、または彼女は、肉体はありません。意識だけの存在です。そこで、転生が許されたとします。

霊界という世界は、そこ（霊界）に何年いたか、十年いたか、百年いたか、千年いたか、わかりませんが、その人の霊のカルマによって霊界での滞在時間が決まると思うんです。

だから人間は、生まれる、その寸前までは、死の世界です。そして、誕生して生の世界に入っていく。だけど、生の世界に入って、一歳、二歳、三歳、四歳と成長するに従って、だんだんだんだん死の恐怖が起こってくる。もっと歳をとれば、もっと強くなる。どうして死の恐怖があるのかはわからない。わからないまま、我々は今も生きているわけです。

僕が思うには、それは、かつて死んでいたからだ、と。死の恐怖を感じるのは、死んだときと霊界に長くいた時間、それから生まれるときのその瞬間の、凝縮されたものすごい覚悟みたいなもので生まれてくるからかもしれません。そういう世界は、生まれてしまってから考えたとき、すごく怖い世界に見えるわけです。死という怖い世界、自分は怖い世界から来ちゃったんだな、と。すべてが無意識で、かつていた死の世界を感じるんじゃないでしょうか。でも本当は、こちらの現世のほうが怖い世界だと思うんですがね。

そういう転生の記憶が、そして輪廻の記憶が、死が怖いという理由じゃないかなと僕は想像します。肉体の消滅と同時に自分が無になるという、そういうフィジカルな発想は生者の発想です。


生まれる以前、どのくらいの間、向こうに存在していたか。その長さは、人によって違うと思うんです。もしかしたら、百年、千年くらいの人がいるかもしれない。そうかと思うと、死んで、一週間くらいで生まれる人がいるかもわかりません。たとえば、前に生まれたときは、何かの事情で幼くして死んでしまった。だから、次に生まれるときは、両親を替えて意外と早く生まれるということだってあるでしょう。

中には、生まれたくない人や霊もいると思うんですよ。生まれても、また、現世であんな苦労の一生を送らなきゃいけないかと思うと、もうこっち（霊界）のほうがいいや、という霊も意外にたくさんいるかもわかりません。

この現世というのは、寸善尺魔の世界じゃないですか。そんなところには行きたくないよ、できれば、霊界にいたいと思っているんだけれども、ガーディアン・エンジェルに「いや、おまえの魂の修行のためにはここで転生を一度しておきなさい」と言われて、嫌々この世に出てきた。出てきたんだけれども、そういう死という膨大な時間と空間のプロセスを経験しているから、無意識的に、漠然と、死って怖いなというのはあるんじゃないかなと思うんです。

一方で、唯物的な、とにかく物質的な、証明できるものしか信じないという、非常に科学至上主義的な観念も存在します。

科学者は、ほとんどがそうだと思います。科学者じゃなくても、もっと普通のインテリだって、大半がそうだと思います。死後の世界があるなんて言ったら、バカにされるわけです。「おまえは何を言ってるんだ！」と。もし、僕が科学者で今、語っているような考えで、そういう論陣を張ると、立場が難しくなって、その学会から間違いなくボイコットされるんじゃないでしょうか。

ダンテが描く地獄、煉獄、天国

一つ、逸話をご紹介しましょう。

以前、心理学者の河合隼雄《かわいはやお》（日本人として初めてチューリッヒのユング研究所にてユング派分析家の資格を取得し、日本における分析心理学の普及・実践に貢献）さんと一緒に本を作ったことがあるんです（『現代日本文化論11　芸術と創造』岩波書店、一九九七年）。そのときに、まえがきを書くことになった。河合さんがあとがきを書かれてね。

僕はまえがきの中で、「魂」という言葉を使ったんですよ。そうしたら、河合さんが「横尾さんはいいですね」と言うんです。「何がいいんですか」と言ったら、「魂という言葉が使えるのは素晴らしいですね」と。その理由を訊いたら、「自分たちは魂という言葉は使えない」と言うんです。心理学の学会では使えないんだそうです。
「だって、ユングだって使っているじゃないですか」と言ったんだけれど、西洋ではカール・グスタフ・ユング（スイスの精神科医・心理学者。深層心理を研究し、「集合的無意識」などからなる分析心理学を創始）には使える基盤があったらしいんですよ。でも、日本にはそれがないと言うんです。わぁ、ずいぶんと唯物主義的な考え方だなと思ってね。つまり、肉体の死はイコール無になってしまうという考え方なわけです。今はほとんど、肉体の消滅は無だと考えられていると思います。

人間が死んだら、最初に行くところは精霊界というところらしいです。エマヌエル・スウェーデンボルグ（スウェーデンの科学者・思想家。霊的体験に基づく著作を多く残す）やルドルフ・シュタイナー（ドイツの思想家。人智学を創始）はそう言っています。あるいは、そこは中庸とも言うんです。霊界への前段階、途中なんです。地上とほとんど区別できないほど、よく似たところです。

ダンテは、それを煉獄って呼んでいるんです。そこへまず、行くんです。大方の霊がそこへ行って、選別される。上へ上がる人は、霊界へ行く。下は、地獄です。皆、一旦、そこへ行く。ところが、そこは死んだ記憶があんまりないくらい現実に近い光景なんです。だから、「あれっ、死んだのに、自分は死んでない?!」と思う霊がいっぱいいるんです。ほとんどの人がそこへ行きますから。そこでカルマの清算をさせられて、行く場所が決まるんです。

自分の一生をパパパパパッと走馬灯《そうまとう》のようにまず、見せられます。それで他人を苦しめた者は、苦しんだ相手の気持ちに自身が同一化されてしまうんです。だから、ものすごく苦しいわけですよ。自分が苦しめた相手の気持ちなんてわからないでしょう? ところが、それが跳ね返ってきてわかるんです。中庸の世界、精霊界は、いきなり霊界に行く特別の霊以外は、誰でも行くんですが、ごく一握りの不退転(涅槃《ねはん》=ニルヴァーナ)に行く者はそこに行きません。

霊界へ行く人と、下の地獄へ落ちる人とがいるわけです。現世で社会的地位が高く、偉かった人で、地獄のほうに行く人はけっこう多いようです。『神曲』にはそういう人がたくさん出てきます。学問を研究した偉い人たちも、あるいは政治家とか、宗教家とか、その現世での功績ではなく、人格によって地獄に落ちている人もいっぱいいるようです。だから、向こうでは、こちらのほうで、自分のやったことと、思ったこととの間にズレがあるんじゃないでしょうか。

そういった人たちはたいてい、精霊界から下の地獄に落とされます。そこから這《は》い上がってくるためには、これがまた、何十年、何百年と長い年月がかかるようです。

地獄にいる人は、有名人が多いようです。有名人は自我が強いからでしょうね。普通の生き方をした人は、なかなか地獄には落ちないようです。人殺しのような悪事を別とすれば、大罪を犯す機会そのものが、一般の人にはそれほどない。せいぜい詐欺をした程度でしょうか。

そういう人は、別に霊界の高いところに行かなくても、霊界の低いところ、まぁ、精霊界に近いところへ行くと思うんですが、向こうは親和性の法則が働くから、自分と同じレベルの人が集まるようになっています。だから、争いは全然起こらない。たとえ、ヤクザ的な人でも、全員がヤクザだと喧嘩《けんか》のしようがないわけです。あるいは、喧嘩さえも楽しくなる。
ともかく、全部が親和性で区別されるようです。職業や、性格や人格の親和性で区別されるので、そこが極楽だと思うらしいです。

真面目な人は融通が利かなかったり、形や常識にはまったものの考え方をする人が多いですね。そして、常に道徳的で、自由に対して消極的な人が多いです。つまり、自由のキャパシティーの狭い人ですね。こういう人はユーモアの精神にも欠けているし、善悪、白黒をつけたがる、変に道徳的・教育的な人ですね。

向こうの世界というのは多義的で、何でもありの世界です。つまり、相対的な世界です。ある意味で、メチャクチャな、ルールのない世界です。だから、ルールに従うのが好きな人にはキツイでしょうね。

一番過ごしやすいのは芸術的な人間だと思います。しかし、芸術家は名誉、地位を求めたがります。それがネックになる場合もあるようです。別に芸術家でなくても、スケールの大きい、セコセコ、チマチマしていない人、どちらかと言うとラテン系の人種に近い人間ということになりますか。まぁ、真の自由人です。こういうタイプは向こうでは歓迎されます。

向こうの世界というのは、この現世のような法律や規制のない世界ですから、向こうへ行く前に、自分はどうだろう？　と自分の胸に聞いたらどうでしょう。

そこから、また、霊界に上がるには、現世で努力する以上に努力しなければいけませんが、努力次第で階層が上がるといいます。

霊界に行った人で、もっとも上に行くのは、先に述べた不退転という世界に入っていく人で、そこからはもう転生しないんです。

そこにいるのが、一番いいんです。仏教が教える悟りは、それです。できるだけ転生しないように、向こうへ行って、涅槃の世界で過ごしなさいということです。仏教の世界がそれをやっている。僕は正しいと思います。『神曲』の中でも、そのことをちゃんと書いていますからね。

また、こっちへ帰ってきて、子供に戻って、小学校へ行って苛《いじ》められたり、それから一生を送るのなんて、誰でも嫌ですよね。もし、そうなったら、どんなにいい人生を送ったとしてもしんどいですよ。

生まれ変わるときは、その人が現世にいたときからついている守護霊というのがいるそうです。守護霊、指導霊。そういう存在が、死後も、霊界でしばらくの間は面倒を見てくれるんですよ。

死後の世界の霊界では、ある時期がきたら、転生しましょうとなる。それから、両親になる候補者がいて、「どこの親のところに行きますか？　この候補者のところへ行けば大金持ちで、あなたは楽な生活ができます。こちらは貧しいけれども、修行ができます」などと、いくつかプレゼンテーションをされるわけです。それを自分が選ぶ。そこで、ちょっと苦労してもいいから、しんどいけれども、貧しいところに行こうと思う霊もいる。その霊のカルマが決めるんでしょうね。「こちらへ行ったら王様になります」なんて言われて、喜んでそこへ行ったら、王様になれるかもわからないけれども、王様になった後、次に転生するときはものすごくきついかもしれない。それこそ、地獄に落とされるかもわからないような人生を歩む可能性だってあるわけです。

でも、それが、その人の霊のカルマによってどこを選ぶかということです。向こうはとんでもない選択肢なんて並べないんです。ある程度、似たり寄ったりみたいですね。だから、皆、自分は生まれることを知らないで、生まれてきたって言っているけれど、嘘《うそ》なんです。誰もが、生まれるということを、ちゃんと意識づけられて生まれてきているんです。ただ、覚えていない。もし、覚えていると、その人は生きにくく不幸になりますからね。記憶を全部消されるわけです。だから、面白いと言えば面白い。

そこから、よーいドン！　で走るわけだけれど、よーいドン！　で走るときに、すでに順位が決まっているんですね。スタートラインに一列に並んでいない。駅伝競走では、遅れて来た人たちが、トップから何秒遅れでたすきリレー、なんてやっていますね。

向こうから生まれてくるときに、それが起こるわけです。真っ白で生まれてくるから、何が何なのかもわからない。過去に、自分は霊界にどのくらいいたのか。その前の過去世は何だったのか。何にもわからない。わかってしまうとつまらないんじゃないですかね。

幽界や霊界のシステムは、スウェーデンボルグやシュタイナーなどで知った知識です。ダンテもそうですが、彼らは死の世界を探訪してきたんです。彼らの著作に触れると、輪廻は否定できないわけですよ。こういう神秘主義者を頭ごなしに否定する人はたくさんいます。それは科学が実証していないという理由からです。だけど、実証されていないものはこの世の中にまだまだたくさんあります。

現代の科学は唯物論だから、もっと未来になると、現在は否定されていることも肯定される時期がきっとやってくると、僕は思います。

魂を物質的に捉えるとおかしくなる

今、世間の大方の人は、死んだら終わりと思っているわけですね。無になるという考え方が常識でしょう。

もちろん、死ぬと、肉体はなくなります。なくなるけれども、実は、我々は生きているうちから、死んでからの訓練を日常的にしているんですよ。それは夢の中で、です。

人間は、肉体と精神からできている。それが、一般的なものの考え方です。そこに魂は入っていません。知的な考え方では、魂を外しますから。肉体と精神だということになってしまう。

でも、もう少し突きつめていけば、霊体と幽体の存在にぶつかるはずです。それは、専門用語を使うと、エーテル体（霊的身体）とアストラル体（精神的身体）です。人間には、肉体の他にエーテル体とアストラル体がある。つまり、三つの身体《からだ》でできているわけなんですよね。

寝ているときには、肉体からアストラル体が離脱するんです。これは肉体から完全には切れないです。寝ている間は、肉体とエーテル体。エーテル体は、肉体の中にいるわけです。アストラル体だけが出ていく。

このとき、アストラル体は霊界に行くんです。霊界でアストラル体がいろいろな経験をして、それで霊界のエネルギーを吸収して、また、肉体に戻ってくるんです。

これは、自分の意思から離れています。たとえば、向こうで夢を見て、いや、こちらで夢を見たときに、アストラル体が向こうで経験したものを持ち帰る場合もあるわけです。

余談になりますが、たとえば、宇宙人に会ったとする。あれはたぶん、アストラル体の体験でしょうね。

だから、寝ている間に身体が浮きあがって、次の瞬間、宇宙船の中にいるとしてもたぶん、肉体はベッドにいる。それで、アストラル体が向こうの人と会話を交わしているわけですよ。

じゃあ、魂っていったい何なの？　ということになりますが、科学的、医学的に見て、魂の存在する場所がないわけです、体の中には。だから、「魂なんてないんだ」ということになっているんです。

何か文学的な表現のときにのみ使われる、使うことが許される。そういう言葉としてあるだけですね。じゃあ、魂はないのか、あるとしたら、肉体のどの場所にあるのかという話になってくる。だけど、もし、魂の存在がなければ、肉体の存在も必要ないんです。肉体があるから魂があるんじゃなくて、〝魂のうつわ〟が必要だから肉体があるんです。

神秘主義で言うと、魂は肉体から離れたところに浮遊しています。存在の仕方としては、肉体の中にないんです。けれども、どこにある、ないという、その考え方自体もすでに物理的思考です。魂は、神秘主義が示すように、存在する場所なんて説明できないと思います。もしかしたら、理念かもしれない。そんな魂のありかを云々《うんぬん》することなど実に陳腐なことです。

まぁ、言ってしまえば、肉体の外にあるっていうことも物理的な考え方です。だけど、神秘主義はそのことを、エーテル体とアストラル体という言葉を使って、かなり説明してくれています。ただ、物質科学には応用できない世界の説明なんです。だから、魂はないんだということになって、もうそんな話はやめときましょうということになってしまうんです。そこから先に行かないんです。先に行くためには、神秘主義の扉を開かないといけないんですけど、多くの人はその扉を開きたくないわけです。

唯物主義的に、目に見えない、あるいは五感で感知できないものは、この世界に存在しないものにしてしまっている。そうしないと都合が悪いんでしょうね。


二十世紀初頭に、ダンカン・マクドゥーガルっていうアメリカの医者が「魂には重量がある」として、亡くなった人の体重を量ったら生前より二十一グラムほど軽くなった、みたいな発表をしたといいます。これも魂を物質的に捉えています。だいたい、科学者が魂の重量を量ること自体が、魂を物質と考えているわけでしょ。重量が減ったのは、水分の蒸発かなんかじゃないんですかね。

　魂は本来、物質的な存在じゃないので、もし、別の言葉にするとしたら、波動とか、波長とか、そういうものですよね。だから、写真を撮っても写らないと思うんです。やっぱり神秘主義的な考え方を導入しないと、説明がつかないけれど、別に説明など必要ないと思います。説明で事を済ませようとするのは、すべて唯物的にしかものを見ていないからじゃないですか。

　神秘主義というのは、現代の知性が大嫌いなものです。神秘主義の根幹にあるものは、霊性なんです。霊なんです。だから、その霊の存在を、神秘主義は認めているんだけれども、そうでない唯物的世界では霊の存在を認めていないから、いくらその両者が議論をしたところで擦れ違いしか起きないわけです。

　魂の存在を認めると、どうしても死に対する恐怖感や不安は薄くなります。もうこれまでとまったく違う生き方ができると思うんです。だって、死が無じゃないんですから。死んでも、本体は魂だ。本体の魂の中に、霊性とか、霊格とか、そういうものがあるんですから。結局、死んだら、霊とか、あるいは魂とか、今度はそういうものになるわけです。

肉体は捨てていきますから。火葬されて、なくなってしまうわけですから。

その魂の存在をどう証明するかということは、横に置いておいて、まず、あるんだということから話をしないと、話は前に進みません。それでも、この議論だけで何百年もかかると思うんです。

この間、さる偉い先生が、「こんなにたくさん、人間が次々に死ぬと、あっちの世界は人口過剰になる。どうなんですかね?」と言っていました。死者を物質だと捉えているから、こんなおかしな空間論が平気で言えるんです。いかにも、もっともらしい論理だけれど、こっちの世界も、向こうの世界も、すべて物質的にしか捉えていないわけですね。

魂の存在を一番体現しているのは、僕は芸術行為だと思うんです。芸術の創造行為。創造行為の中に、知性だけでは説明できないものがあるんです。そこに、その作品が、すごい力を持って、天才的な力を持って、人の行動を促す……。そういうものは何の力かというと、知性じゃなくて霊性なんです。霊性の力だと思うんです。それは、芸術の中で一番表現しやすいものなんです。だから、空っぽ(空)というのは、霊性、霊的、霊格、そういったものを指しているんですが、表現する言葉が他にないんです。芸術だって、知的作業だということになっているんですから。

三島由紀夫が説いた霊性と霊格

あるとき、三島由紀夫（作家）さんが霊性について語られたことがあります。

「君は、礼儀礼節のない無礼な作品を描いている」と。「だけど、それはかまわない。芸術行為だから」。ただ、日常生活における、人や社会との付き合いの中での礼儀礼節だけはちゃんとわきまえなさい。三島さんはそういうことを言いたかったんです。

僕は、じゃあ、「その霊性を手に入れるためにはどうしたらいいんですか?」と訊いた。そうしたら、三島さんは「簡単だ。日常生活の中で、生き方の中で、礼節を重んじなさい。礼儀礼節を守りなさい。それでいい」と言いました。

三島さんは、縦糸が創造だとすると、横糸が礼儀礼節だ、と。その「礼儀礼節と創造が合致した交点、そこに霊性が生まれる」と言うんです。

そこで、霊性への近道には、どうも創造という問題が絡んでいるように思いました。普段の生活の中で礼節が重んじられているかどうかが、創造の真髄に関わっているらしいのです。ということは、創造は生き方と深く結びつくようです。「創造と生活の一体化」というのはつまり、こういうことなんですね。

生活がルーズだと、創造もその影響を受けることになります。だけど、三島さんは、「作品は無礼でいい」、それどころか「むしろ、無礼であるべきだ」とも言いました。だって、道徳的な作品なんて実につまらないですからね。

だから、霊性というのは、道徳や倫理とはまったく関係のないものなんです。そうすると、絵を観《み》た人たちが、その作品を観て感動するのは、描かれているテーマとか、コンセプトとか、そんなものじゃなくて、霊性を宿した作品が訴えかけてくる力じゃないかと思います。

創造と礼節のクロスした交点で霊性が生まれるという三島さんの言い方は、非常によくわかりますね。その霊性があるのが、感動させるとか、取り憑かれるとか、そういった魂を震わす作品なんでしょうね。

霊性のない絵は、知性で判断するような観念的な作品だ、と。そうすると、どうしても、これを描いているのはどういう意味ですか？　これは何ですか？　となる。知性というのは分別を伴う理屈の世界ですから、どうしたって理屈で説明することになります。ところが、霊性は理屈で説明できないのです。

三島さんは、礼儀礼節をわきまえていれば、自分の創造と結びついたときに、それが霊性になるということを、どうも知っていたみたいなんですね。どこで知ったのかはわからないけれど、そのことは知っていらしたような気がします。

僕が三島さんにやかましく言われたのは、その礼儀礼節がまったくなかったからですが、そこを最初の、たった一回の出会いの中から見抜いたんだと思います。あれだけ大成された方でも目上、目下の関係なく、そこを見極めておられましたね。なかなかできることではないですよ。

三島さんの魅力は、文学だけではなく、三島さんが後天的に身につけられた礼儀礼節です。それが、三島さんの霊性を高めたんです。そして、それが、三島さんの死の存在を高めたんだと思います。

こちらで大成して、知名度も高くて、それで皆から尊敬された人が向こうへ行ったら、地獄に突き落とされるというのが、ダンテの『神曲』に出てくるじゃないですか。その選別の判断に、霊性が大いに関係しているのかもしれません。

ダンテの作品では、いろんな有名人、政治家や聖職者たちが、地獄の下のほうで喘《あえ》いでいますよね。あれは生きているときに、名誉とか、地位とか、物質的なものとか、そういったものばかりに興味を持って、実際の自分の魂を進化させたり、向上させたりということに全然興味がない、つまり社会的な評価や欲望の達成にしか関心のなかった人が、地獄で悲惨な目に遭っています。あれはある程度、その通りだと思います。

たとえば、聖職者でも、人を救う職業であるにもかかわらず、自分のところのお寺の庭を駐車場にして、お金を儲《もう》けることばかり考えたり、あるいは自分の出世や地位のことを考えたりしている人もいると思うんです。

そういう人は、向こうに行ったらかなりきついでしょうね。少なくとも、普通の人が死んだときよりもきついんだと思います。

現実的には、わりと社会的地位の高かった人は、戒名も「何とか院何とか大居士」というような、立派な院号が付いていることがありますけれど、そんな戒名だって、金儲けのためにお坊さんが考えた戒名かもわかりませんよ。院号は本来、仏教的な厳しい修行を積んで授かるものなのに、その代わりに金を積んでいるわけですから。

そういう戒名を付けたお坊さんにしても、それを付けてもらいたくて運動した人たちも、向こうへ行けば、下に落ちているかもしれませんね。ダンテの『神曲』は、フィクションというより、霊界とのコンタクトのドキュメントじゃないでしょうか。

そんなことには全然興味がなく、何でもいいです、みたいな拘《こだわ》らない人のほうが逆に向こうではレベルが高いということもあり得るかもわかりません。だから、こちらの基準は、向こうの基準にはならないということです。そうなると、向こうの基準は何だということを知る必要があります。我々は、小さいころから、こちらの基準ばかり学んでいるわけですから。

瀬戸内寂聴さんは、「死んだ後」を恐れた

人間がどういうふうな考えに基づいて、輪廻転生ということを考えるようになったのかについては、仏教でもちゃんと語っていないような気がするんです。すごく曖昧に語っていますから。

ある本で、宗教学を研究している学者と僧侶が、十人くらいでやった座談会をまとめた記録を読んだことがあります。ちょっと驚いたのは、一人の僧侶以外は、全員が輪廻転生を否定していたことです。学者は当然、否定します。だけど、お坊さんまで否定している。

こういう話もあります。

あるとき、フランスのテレビ局が瀬戸内寂聴さんを取材しに来たんです。ところが、そこで、そのテレビ局の人に対して、瀬戸内さんは「輪廻転生などない」とおっしゃったんです。全否定なんです。

そのテレビ局は、ヨーロッパの近代主義の行き詰まりをめぐって、何とか打開するヒン

トを得るために、日本の僧侶であり、作家である瀬戸内さんに会って、近代主義に「ノー」と言ってもらいたいと考えたと思うんですよ。彼らのほうが、輪廻転生を肯定しているんです。つまり、膠着《こうちゃく》したこの文明社会を脱却するのは、もう東洋の輪廻転生の思想しかないんじゃないかと考えて、可能性と期待を込めて問いかけたはずなんです。けれども、瀬戸内さんは、即座に「ノー」と言った。輪廻転生に懸ける彼らの思いをひと言で打ち砕いてしまった。

僕は、それをテレビで見ていたんですね。それで、これは瀬戸内さんが悪いわけじゃないけれども、彼女は西洋人に対してリップサービスをしたと思うんですよ。つまり、戦後日本、特に知識人は皆、ヨーロッパ近代主義に大きな影響を受けた。

これは、瀬戸内さんは、私も知識人なんだ、と示したということです。輪廻転生を肯定すると、知識人じゃなくなってしまう。作家である以上、ヨーロッパ近代主義の立場に立つべきだという発想が瀬戸内さんの中で働いたと思うんです。

要するに、瀬戸内さんの中に作家性と僧侶性というものがあるとしたら、その問いかけと対峙したときに、瀬戸内さんは作家性を優先してしまったわけですね。それは瀬戸内さんの知識人としてのプライドなのか。輪廻転生を肯定すると、インテリじゃなくなるわけですしね。

瀬戸内さんがアーティストだったら、「輪廻転生はある」と言えたかもしれない。僕はアーティストを優先しているので、そのことで人から批判されたってへっちゃらなんです。でも、瀬戸内さんは作家である以上、言葉でものを考え、言葉が思想なんだということでしょう。

内心は、瀬戸内さんもかなり迷ったと思うんです。どうしよう、どうしようって。でも、これはテレビだし、もう「ノー」と言ってしまったほうが良い、と。

そうしたら、向こうのテレビスタッフはポカンとしているんです。そりゃあ、がっかりしたと思いますよ。彼らはそのために取材で日本に来ているんだけれど、「ノー」と言われたら、その後はもう突っ込みようがないわけです。そこで終わっちゃう。実際、その取材映像は向こうで放送されたと思いますが、フランス人はどう思ったんでしょうね。

瀬戸内さんは、毅然として知識人の代表選手みたいな顔をして言ったわけですが、それは瀬戸内さん一人の問題じゃなくて、その後ろにものすごい数の知識人やメディアがいるわけです。そういう人たちから、「瀬戸内さん、あなたはよくやった」というふうに言われる可能性がありますよね。

きっと忖度《そんたく》されたんでしょうね。誰に対してかは知らないけれど、それはたぶん、今の日本の知識層に対する忖度じゃなかったかと思うんです。

同時に、瀬戸内さんには、三歳の小さな子供を夫に託して、自分は出ていったとか、若い作家と不倫をしたとか、そういうことを自分の中の閻魔《えんま》さんと語った場合には、何を言われるかわからない。だから、死んだ後のことを考えるのが怖いということもあったのではないかと思います。

輪廻転生は駅伝競走に似ている

ちょっと話題を変えて、マラソンと駅伝競走を比べてみたいと思います。

マラソンは、その人の今生の、一世一代の人生ですよね。一人でスタートして、四十二・一九五キロメートルという長い距離を走り切ってゴールへ飛び込む。これが一つの人生。だから、単独行為です。

ところが、駅伝はどの選手も皆、一区間しか走らない。団体行為です。いわば、一人ひとりは未完成なんです。そこに「俺はもう二区間、三区間走る能力があるよ」という選手がいたとしても、一区間で全力投球したんだから、もうそこで次の人にたすきを渡しましょうとなる。

これは魂の転生に似ています。たすきを魂と考えれば、次の人にそのたすきを渡す。そこで、次の人はまた、違う肉体で、また、走る。肉体が、次から次へと変わっていくわけです。ただ、魂というたすきは変わらない。それが、輪廻転生です。最後に飛び込むところのゴールが不退転、すなわち涅槃なんですね。つまり、輪廻転生のシステムを駅伝にたとえると、それに対して、マラソンは一人の人間の一代記だから、今生だけの人生です。

死後生があるかないかという話と、輪廻転生は決して無関係じゃないと思います。

だけど、現代人は、輪廻転生と言ったってほとんど興味がない。それと死後の世界、これも興味がない。興味がないということはないかもしれないとも思うんですが、少なくと

《地球の果てまでつれてって》
1994年。作家蔵（横尾忠則現代美術館寄託）

もこの問題を探究しようとはしませんね。これほど興味深いテーマなのに、探究しようというそぶりすら見せない。人間の魂にとって、あるいは現世にとっても、すごく重要なものなのに、興味を持たずにこの社会が成立しているわけです。昨日も、今日も、明日も、ずっと。その大事なものをないがしろにして、どうして見えるものだけを信じているのかということです。もっと見えないもの、わからないものを受け入れて、それは何なんだということを考えないと、見える世界のことまで見えなくなってくると思います。今、すでにそうなっているんじゃないですか。

死後の世界で孤独になるかどうかは、その人によりけりです。それは、その人がどう生きたかで判定されるわけですから。自分の中で、何かを探究するとか、研究するとか、そういうことを常に求めて、そのために一生を捧《ささ》げる。芸術家は、そういうことの中から、創造を通して自然に霊性が生まれてくるわけです。

ここで一つ、なぜ輪廻転生があるのかという、僕なりの想像をしてみたいと思います。輪廻というのは、人間の魂が次から次へと別の肉体へ移っていくことです。転生をする必要がなくなるまで、輪廻を繰り返していきます。人間の一生という一回性の時間の中で、その人が完全に完成すれば、それ以上転生も輪廻も必要ないはずです。でも、実際は、ざっと百年足らずの人生の中で、一人の人間が完成するのはなかなか難しいと思うんです。だから、完成するまで、何度も何度も輪廻転生を繰り返します。

では、どうして、一生の時間の中で人間は完成しないんでしょうか。

人間はいろいろと行動したり、思念したり、言葉を繰り返すことによって、その都度、業を積んでいきます。前に触れたように、業というのはカルマとも言います。生きているということは、カルマを積むことでもあります。行動や思念を支配する要素として、人間のさまざまな欲望によって、心に重荷を積んでいきます。でも、一方で、この業を吐き出す行為も行っています。吐き出すということは、業を軽くしていくことです。捨てることです。そして、いつか、抱えた業をきれいさっぱりと捨て去ることができれば、その人は、もう再び転生も輪廻もしません。もう二度と、この現世に生まれ変わってくることはありません。つまり、先に言った不退転、涅槃の境地に入るのです。

人によりますが、不退転者になるまで百回、二百回の転生を繰り返し、ときにはもっと多くの輪廻によって、やっと不退転に到達するのです。そのために、我々はそれこそ気が遠くなるほどの時間の中で、死んだり、生まれ変わったりしているのです。

仏教、特に禅では、悟りを目指す修行をします。現世での悟りが必ずしも不退転に入ることに繋がるかどうかはわかりませんが、禅僧などの宗教家は、輪廻転生のメカニズムを知っていて、悟り（不退転者）を目的に修行しているのかもしれません。

もし、ダライ・ラマ（観音菩薩《ぼさつ》を守護尊とするチベット仏教において、ダライ・ラマはその化身とされ、また、転生系譜でもある。現在は十四世）が不退転の資格がある僧侶であれば、転生はしないので、後継者を探すのはバカげています。また、たとえダライ・ラマが転生する魂であった場合は、死んでもそう簡単に転生はしません。

ダライ・ラマの後継者探しは一種の観念ではないでしょうか。その観念が、風土化してしまった一種の文化のように思えてなりません。ダライ・ラマが死んだタイミングで生まれた子供の中から後継者探しをしますが、死と同時に転生するというようなことはないと思います。すると、次世代のダライ・ラマを探すこと自体が実におかしなことだと思います。実際、ダライ・ラマになる人間は、相当の修行をした人に違いない。従って、不退転者の資格がある人ではないかと思います。

不退転者は転生しないので、その後継者は存在しないはずです。人間の宿命・運命は人知を超えたものです。それを大勢の子供の中から探し当てるわけでしょう？　不退転という観点からすると、僕にはよくわからないことです。

人が輪廻転生する理由

自分は誰かの転生だと語る人がいます。「自分は○○の生まれ変わりだ」というものですが、それがいったいどうしたというのでしょうか。まったく意味のないことです。

かつてブッダだった人が今生も同格の人格として転生することはないように思います。もし、あるとすれば、魂を分霊するという方法をとるのかもしれません。

過去世での人格がそのまま今生の人格として転生することはまずないように思います。まったく予期しない人物を転生で繰り返すのではないでしょうか。まったく同じか、また、よく似たような人物として転生することは、自然の摂理においても、ないように思います。インチキ占い師や霊能者によって判断されて、その気になっている人がいるとすれば、バカげた話です。

自分が誰の転生であろうと、どうでもいいことです。わかったから、じゃあ、どうしようというのですか。意味のないことです。

ここで、一つの疑問を持たれる方がおられるかもしれません。では、なぜ、人格の差があるのかということです。もし、輪廻転生がなければ、人類が一斉にスタートラインに並んで、よーいドン！　でゴール（不退転）を目指します。しかし、現在、地球上の全人類は平等ではありません。

人類が初めて誕生したときは、平等だったかもしれませんが、転生と輪廻を繰り返す中で、その人の魂に宿ったカルマによって、完成への途上で、カルマを積んだり、カルマを捨てたりの繰り返しで、徐々に人格の差ができるのではないかと思います。

この世に肉体を持って生まれてきている人は、すべてが未完成の人ばかりです。だけど、完成すると、その人はもう生まれ変わる必要はありません。大方の人間が未完成で生まれて、完成を目指すのですが、なかなか完成しません。そして、未完のまま死にます。そこから転生して、来世に完成を目指すのですが、一回、二回の転生では、なかなか輪廻から脱却できません。だから、何十回、何百回もの転生の時間の中で「修行」をすることになるのです。

いろいろと述べてきましたが、僕がなぜ、輪廻転生を肯定するのかをおさらいしたいと思います。

肯定しなければ、自分の性格、今の環境、境遇などによって形成された現在の自分が理解できません。

人間が転生しないという考えは実に不自然です。もし、転生がなければ、すべての人間が平等であるということになります。この社会で、人間が不平等であるということ自体が、輪廻を肯定する証拠です。数限りない輪廻を繰り返しながら、人間は修行するのです。

したがって、人間は未完のままで生まれて、完成を目指して今生を生きるのですが、大半が未完のまま生涯を終えます。そして、死後、あちらの世界で修行をしながら、再びこの地上に転生するときまで向こうで待機するのです。

そのうえで、前世とはまったく異なる人格、性別、時代、国を選んで転生します。それも魂の意思に従います。生まれる以前に自分の両親を決めて生まれるわけですが、その時点ですでに宿命も定められています。だけど、生誕と同時に、その記憶は消えます。それからはその人の運命に従って、あらゆる境遇に直面します。運命に従うのも、運命に抗《あらが》うのもすべてがその者の自由意志によります。だから、生まれる前からすでにその者の人生はおおよそ設計されていたはずですが、約束された宿命を無視して、大半の者は自由意志の運命に振り回されてしまいます。

つまり、魂が宿命の記憶を持っている者のみが、生前に定められた人生を全うします。そして、輪廻転生の最終回では、その者は不退転者となって、輪廻の輪から脱却して、二度と地球には転生しません。すべてのカルマを解消した者のみが永遠の生を受けるのです。

以上が、僕の輪廻転生に対する考え方です。

魂が定めた運命に従う

三島さんの死は、三島さんがそうやらざるを得ないような魂の持ち主で、そういう宿命の下に生まれて、それで運命を達成された。本人が本来持っている因縁と言ってもいいものに基づいて、三島さんは計画を立てて、実行したわけです（一九七〇年一一月二五日、民兵組織「楯《たて》の会」会員とともに自衛隊市ヶ谷駐屯地〈現・防衛省〉を訪れ、東部方面総監を監禁。バルコニーで自衛隊員にクーデターを促す演説をしたのち、割腹自殺を遂げた）。そうじゃない生き方を三島さんに求めてもできなかったと思います。だから、もし、三島さんが今生きていたら、なんていうのは空想の話で、子供っぽ過ぎますよね。あれしかなかったんですよ、三島さんにとっては。あの生き方しかないと思う。それが宿命です。

たいていの人は、その人の生き方に従って生きてきていると思うんですね。三島さんにとっては、あれが三島的生き方だったんだと思います。そうせざるを得なかった。そして、ああいう生き方が基本にあったから、向こうでそれなりの三島的世界を確立していると思うんです。

運命ということで言えば、僕の場合は、わりと運命に従う生き方を選んできたわけですが、三島さんは、僕のような受け身的な生き方ではなく、自分の意思によって、むしろ運命に逆らった自主的な生き方をされたと思います。僕は面倒くさいことをするのが大の苦手です。だから、自主的に行動を起こすよりも、第三者がコントロールしてくれたほうが僕は生きやすい。それに従って生きてきたというのが、僕の生き方です。

ずいぶんと昔のことですが、十代のころは将来、郵便配達員になりたいと思っていました。当時は、誰かが誰かに愛の書簡を送る、そのキューピッド役が郵便配達員だというくらいにしか考えていませんでした。けれども、今にして思えば、郵便配達員は人と人を繋ぐメディアですね。メディアと考えると、郵便の原型はテレパシーかもしれません。

ただ、郵便配達員になることを止めるいろいろな運命のいたずらで、とうとうその仕事には就けませんでした。これが僕の宿命であり、運命だったのです。だから、なれなかったことを残念だなんて全然思っていません。僕の宿命にはそんな計画がインプットされていなかっただけの話です。だから、人生は面白いのです。

一方で、そんな生き方は嫌だ、自分はもっと自分の意思に従って、どんどんどんどん運命に逆らってでも道を切り拓《ひら》いていきたい。もちろん、そういう生き方の人もいると思うんですよ。それはそれで、その人の生き方です。僕の場合は、そういう生き方ができなかった。それは、僕の子供のころの環境がそうさせたんだと思います。

幼少期に養子になったために、養父母が僕を徹底的に猫可愛《かわい》がりに溺愛して、僕が何かを要求する以前に、与えてくれました。だから、自分で何かを求めるという気持ちがものすごく希薄になってしまったように思います。そのせいで、自主的精神が弱くなってしまい、面倒くさいことは、常に避けてきたように思います。

このように定められた運命がある一方で、自分の意思でできることがあります。それは向こうへ行ってから、霊性、霊格を獲得しようとするよりも、肉体を持っているこの現世で、できるだけ自分の中でそれを獲得しておいたほうが、向こうへ行ったときには断然楽だということです。

向こうは階層の世界ですから、魂のレベルによって、どこに配置されるのか、言ってみれば偏差値のようなもので、それによって決まるわけです。向こうへ行ったら何とかなるでしょう、じゃダメだと思いますね。

現世、要するに肉体を伴っているうちに霊性や霊格を少しでも高めたいと思ったら、一番簡単に言えば、ナチュラルな生き方、自然体の生き方をすることです。不自然体で生きていけば、それができない。言葉では簡単ですが、このナチュラルというのは難しい。ナチュラルほど難しい生き方はないけれども、まず、自分自身に従う、自分に忠実に生きる。嫌なものは嫌。そこが基本かもしれません。

僕は、魂に近いのは脳より肉体だと思います。なぜなら、脳は心を作ることはできません。だけど、もう大半の人が脳のほうだという考えでしょう。死んだら、脳が死ぬんだと思っているわけですよ。だから、脳が死んだら、無だという考えになってしまう。医学でもそうですね。中には脳死イコール死なんていう医者もいますから。そうじゃなくて、「魂の死＝死」でなきゃいけない。ところが、医学は魂の存在を認めていない。

やはり、そういうことを、小さいうちから教えないとダメなんじゃないですかね。僕は幸い、その魂という存在を、親や親戚の人やお坊さんから何となく感じさせられたので、その点は良かったです。知性や感性を超えた次元で、それとなく、その存在に気づかされたように思います。

だけど、今はもう、そんなことを教えるお坊さんもいないし、もし、いたとしても、インターネットなどで情報がどんどん入ってくるから、そんな人が言っていることなんて、「あんたは間違ってる！」のひと言で済まされてしまうでしょうね。

親は、子供にあんまりちょっかいを出さないほうがいいと思うんです。向かうべき方向を指導することは必要かもわからないけれども、だいたい今は、親が子供を操作しようとし過ぎだと思います。週何日も塾に通わせて、学歴の高い子供を作ろうとしてしまうこともありますよね。子供を自分の所有物にしてしまっているように思うんです。子供を親から引き離すことが、自由を与えることなのに、逆に所有物にするために子供の自由を奪ってしまっている。

今の親子関係の多くは、そういう感じがします。子供のやりたいと言うことを、親が全部反対して、束縛して、自由を奪ってしまった結果、自殺者が増えたり、いろいろと良からぬことをしたりしているんだと思います。

だから、親がちゃんとしなければいけない。だけど、今、霊性や霊格なんて言う人はいないわけですよ。言葉さえ知らないかもわかりませんね。それよりも、知識や知性のほうが大事なんです。知性が最優先されていると、霊性なんて問題にされませんよね。霊性は知性と対立するものですから。幸いにも、僕の養父母は尋常小学校しか出ていない学歴だったので、勉強しろなんて一度も言わなかったですね。むしろ偉くなって、親の元から離れることを恐れていたくらいです。

「死後生」があるとわかれば、自殺できない

生と死の境にある壁をどういうふうに越えていくか。ここを皆、曖昧にしてしまっていると思うんです。僕自身もわからない。曖昧にしたままということはわかっているし、言葉で言えないから、絵を描いているんです。

死ぬ形はさまざまですが、自ら命を絶つ自殺は他の死とは意味合いが違います。病気を苦にして、あるいは借金に追い詰められて、自ら命を絶つ。そういう自殺はある意味でまだわかりやすい。そうではなくて、何か人生そのものを見つめて、自ら死を選ぶような人がいますね。言葉を膨大に持ち過ぎてしまったがゆえに、そうなってしまったということはあるんじゃないかと思います。

文芸評論家の江藤淳（一九九九年、神奈川県鎌倉市の自宅浴室で自死）なんかはそうでしょうね。江藤さんは一生懸命努力して、いろんなことを学んで、それが行きついたところが自死だったということになってしまうわけです。客観的に見ると、死に向かって一生懸命勉強してきたことになっちゃいますよね。

六十年安保で東大自治会の委員長をやって、『朝まで生テレビ！』（テレビ朝日）なんかに出ていた保守思想家の西部邁《にしべすすむ》（二〇一八年、東京都大田区の多摩川で入水自殺）も自分で死んでしまいましたね。一生懸命学んで、生きて、その頂点で死ぬ。死が解決だと結論を出したんだと思います。それはそれで本人にとっては良かったのかもわかりませんが、ただ、死んだからといって、彼の根本の問題は解決しないと思うんです。逆に死を通して、さらに大きい問題にぶつかるんじゃないですかね。

人の肉体というのは自分で作ったものではなくて、親が作ったものであり、もっと遡《さかのぼ》れば宇宙原理が作ったものです。神（宇宙）が作り、他人（両親）が作ったものを、自分で命を絶つわけでしょ。ですから、そのことに罪がないとはどうしても思えないんですね。日本人の自殺率（人口十万人あたりの自殺者数）は高い（G7〈主要七か国首脳会議〉ではトップ。世界全体でも十位以内）でしょ。「自殺はしたらダメ」なんて言われても、何で自殺したらダメなのかを本当にわかっている人は、誰もいないわけです。そこで思うのは、自殺したら、死んだときに、その人はどうなるかということを、仏教者らがなぜ言わないのかです。現在は、むしろ仏教者が死後生を否定していますからね。また、メディアは宗教色を排除したがりますよね。

自分の肉体なり、生命なりというのは、その人の所有物であって、その人にすべての決定権があるかのような教育をずっとやってきているんでしょうね（日本国憲法第十三条で「自己決定権」を保障）。自分の命をどうするかを決める決定権が自分自身にあると思っているがゆえに、自死が、わりと普通に行われていて、日本では毎年二万人、多い年では三万人以上、自死してる人たちがいます。交通事故死より断然多いわけです（二〇二二年の自殺者数二万千八百八十一人、交通事故死者数二千六百十人。ともに警察庁調べ）。

自殺という行為を自己決定論で納得するのではなくて、死んだらどうなるかということも、もう少し考えたほうがいいと思います。

自殺する人には、死ぬと無になるという考えがあって、間違いなく現実から逃れたいから死ぬわけでしょ。ところが、死んだ途端に無が有に変わるんです。こちらの世界そのものが、向こうで具現化していくから無にはならない。それが、非常に苦しいわけです。

たとえば、ビルの上から飛び降りました。でも、気がついたときには、自分が生きてる。あれ、おかしいな。今、飛び降りたのに、死んでない。じゃあ、もう一回、飛び降りようと、また、もう一回ビルの上へ上がって、また、飛び降りる。また、死にました。あれ、まだ死んでない。また、もう一回……。そういう繰り返しばかりやっている霊もいるんじゃないでしょうか。

皆、死んだ瞬間に向こうで生き返るわけですから、自殺すると瞬間的に、うわーっ、何てことやってしまったんだ！　という後悔はものすごく強いと思います。生きていたときに死ぬ原因となったことを遥《はる》かに超えてしまうほどすごいものが襲ってくると思うんです。死んで十年も経っているのに、十年間そのことばかり考えている霊がいても全然不思議じゃないですよね。何しろ、死後の世界には時間という概念がないので、ある意味で永遠です。

死んだら、死後の世界の死後生があるんだということがわかれば、皆、怖がって、自殺なんかしないです。死ねば、全部チャラになると思って死ぬわけですが、実は死んだら、そこから新たな向こうでの生が始まると思います。

三島さんが亡くなったとき、もう何回かわからないけれども、とにかく、毎晩のように、僕の夢の中に彼が出てきたんです。

そこで彼は「もう一回腹を切る！」って言うわけです。僕が、三島さんに「それだけは止《や》めてください！　三島さん、一回死んだんだから！」って言っても、また、「いや、もう一回死ぬ！」って言う。それを何回も繰り返すんです。

あの当時の僕の日記を見ればわかります。もうしょっちゅう、三島さんが死ぬ夢を見ていました。半年くらいでしょうか、かなり長く続きましたね。

それは、僕の無意識が見たのかもしれません。三島さんは霊力がすごく強いから、その三島さんが発信した霊力を、僕が夢を通して無意識でキャッチしていたということもあるかもしれませんが。

でも、ああいう意志の強い人は、とにかく、どんな状況に置かれても、その状況から脱出するくらいの強い信念と精神力がありますから。地獄に落ちても這い上がるだけの力がありますから、今ごろは菩薩行か何かやっているんじゃないですかね。

死後の世界が「実」、現世は「虚」

自殺願望を持っている人が相談するところがありますね。でも、死んだら、その後の世界がどんなところなのかということをサジェスチョンする人はたぶん、一人もいないはずです。

昔はあったんですよ。僕たちが子供のころは、『往生要集』（源信著。浄土思想の観点より、多くの仏教の経典や論疏《ろんしょ》から、極楽往生に関する重要な文章を集めた仏教書）のような本で、地獄などをやさしく子供にもわかるように、お坊さんがそれを見せながらいろいろ教えてくれたわけです。でも、今はファンタジーの世界ということになってしまっていて、誰も信用していないわけですね。そういう土着的な考え方というのをもう一度見直してもいいんじゃないかと思うんです。こんなに自殺者が増えていっている中で、自殺を止める方向性を示唆する概念、思想というのが社会的な問題にすり替えられてしまっている。

こういうことは、お坊さんがちゃんとした発言をしなければいけないのですが、そのお坊さん自身がさっき言ったように、輪廻転生の世界を否定しているんだから説教のしようがないわけです。

向こうの世界の雛形《ひながた》がこちらだという考え方がありますね。向こうが本体であって、こちらは虚の世界だ、と。向こうの実相の世界から現世を見た場合は、いかに嘘で塗り固められた世界を生きているのかということがよくわかると思うんですが、多くの人の考えはその真逆です。だから、こちらの世界で生活している我々は、虚妄に満ちた生活を送っているという自覚が必要なんです。皆、そんなに立派なことをやっているわけじゃない。本当は向こうの世界のほうが立派なんですが、今は逆転してしまって、こちらが立派な世界ということになっているわけです。

死の世界はただ恐ろしい世界ということになってしまっている。だから、現世を終えた後に行く場所のことなんか、誰もほとんど話題にしないし、相手にされないし、言ったら知性のない人間として評価されるだけになる。

僕が言っても、社会は「アーティストが言っているんだから……」「アーティストなんて出鱈目《でたらめ》なことやっているんだから、勝手なこと言わせとけ」くらいの感じで許されているのかもわからないですけれどね。

僕が以前、フランスに行ったとき、我が国にアンドレ・マルロー（フランスの作家、政治家）を紹介した竹本忠雄（フランス文学者。マルローの研究家として国際的に知られる）さんという人に会いました。

その方には毎日のようにお会いして、大変お世話になったんですが、ある日、科学者と哲学者と宗教学者との会合へ連れていかれたんです。ロジェ・カイヨワ（遊びや夢などを研究したフランスの社会学者）も来ていました。

そのときに、そういう人たちに交じって、霊能者や錬金術師や占い師のような人がいっぱい来ていたんです。おばちゃんたちなんですけれど、どう見ても魔女なんです。そういう魔女のような人たちと科学者、哲学者、宗教家が一緒になって、さまざまなテーマについて話し合う。そういう場だったんです。そんなのは日本にないですものね。

その光景は、もうすごかったですよ。その魔女のおばちゃんたちと、フランスでもトップレベルの頭脳と見なされているような哲学者、科学者が一緒に話をして、いろんな角度から学ぼうとしている。あれを見た途端に、うわぁ、日本は百年遅れている、ダメだな、てんで敵《かな》いっこないと思いました。

竹本さんには、アラン・ロブ＝グリエ（フランスのヌーヴォー・ロマンの代表的作家）や、アンドレ・ピエール・ド・マンディアルグ（フランスの作家。三島由紀夫の戯曲『サド侯爵夫人』のフランス語翻訳も手掛けた）のところに連れていってもらって、ロブ＝グリエからコラボの話も生まれました。また、マンディアルグ夫人のボナにも会い、画家同士で意見も一致し、来日されたときにも会いました。

本体はこちらじゃないんだ、死後生のほうが本体なんだということは、哲学者や、宗教家をはじめ、いろいろな分野の専門家が集まって、もっと多面的に、掘り下げて論じるべきだと思うんです。でも、現実的には全部科学者に任せていて、科学で解明できないものは存在しないことになってしまっているわけです。

科学の世界では、今では常識になっていることが百年前には発見されていなかったり、否定されていたりしたことも多々あります。そうすると、百年後には今、非常識だとされたり、滑稽だと嗤《わら》われたりしていることが常識になる可能性も少なからずあるわけです。

今、この本を読まれている方は、死をめぐって同じところをぐるぐる回っているように思えるかもわかりません。だけど、そのことが僕はすごく大事だと思うんです。死はそのくらい解明しづらい世界であって、さらっと言ってしまえたら、それで終わりですからね。

こういうことは本来、社会的にアウトローであるアーティストが言うより、哲学者や宗教家が言えば、もう少しは人々が耳を傾けると思います。

ただ、そんな専門家でなくても、何を根拠にすれば、輪廻転生は認められるのかということを、我々素人は素人として考えてもいいんじゃないかと思います。

木が生長していって実をつけ、次第に老化して、枯れる。けれど、その種が地面に落ちたら、次の年に芽が出てきて再生する。これは、輪廻転生そのものです。自然界の一つひとつを眺めると、そういう輪廻転生があるわけですから、人間だけに輪廻転生がないと考えるのも不自然なんですね。

死んだ猫との会話

猫は、子供のころからずっと身近にいたような気がします。僕が学校から帰ってくると、足音が聞こえてきて、それ以前に雰囲気でわかるんでしょうね。家からバーッと走って出てきて、ボボボボッて体の上に上ったりなんてことを毎日していました。

故郷の西脇にはタロウとジロウという猫がいましたね。ところが、隣のうちに猫嫌いの人がいて、それで毒殺されてしまったんですよ。二匹とも同じ日に、毒団子みたいなのを食べさせられて、僕の布団の中で揃《そろ》って死にました。もう今だったら犯罪ですよね。あの時代は残酷なことをする人もいましたね。

上京してしばらくは、アパート住まいだったので飼えなかったんです。その後、成城（東京都世田谷区）に移り住んだときに、借りた家に猫がいたんです。前に住んでいた外国人が残していったんです。日本デザインセンターを辞めたころだから、一回目の東京オリンピック（一九六四年一〇月）のちょっと後ぐらいです。

それからは、引っ越ししながらもずっと猫はいましたね。

これまで、一度に十匹ほど飼ったこともあるんですよ。だから、それも入れると、これまでに飼った猫は二十匹くらいになるでしょうね。

以前、出版した『タマ、帰っておいで』（講談社、二〇二〇年）に登場するタマに関しては、死んでからのほうが特別な存在になったところがあります。タマは捨てられた猫で、うちへ来たんですよ。

本の中にも書きましたが、僕の夢の中で、タマがなぜうちへ来たのかというのを延々と話したんですよ。夢なんですが、ヴィジョンのない夢で、タマの境遇だけが僕の中に伝わってきたんです。夢をフィクションだと思う人はそう読んでいただいてもかまわないですが、僕にとってはドリーム・コンタクトだと思っています。

タマの話によると、最初は、新百合ヶ丘（神奈川県川崎市麻生区《あさお》）のおばあちゃんに飼われていたというんです。ただ、そこでなぜ飼われていたのか、どこから来たのかという話はなかった。ともかく、おばあちゃんに飼われていたけれども、そのおばあちゃんが自分を手放すことになってしまった、と。それで、若い夫婦のところにもらわれていったものの、その若いご主人が会社の寮に入ることになったため、連れていってもらえなかった、といいます。

そのとき、成城あたりの不動産屋さんが来て「私が面倒を見ましょう」と言って私（タマ）をその車に乗せて、それで成城へ行った。そして、うちの家の近くでその運転者が降りたので、慌てて飛び降りたら、そこに草ぼうぼうの空き地があった。ここは安全だと思って入ったら、それがうちの家の庭だった……。

そんな話を夢の中でするんです。僕が寝る前に、死んだタマに呼びかけて、「あなたはどうして、うちに来るようになったの？」ということを毎晩、寝る前にベッドの中で言っ

《タマ、帰っておいで　082》
2019年。作家蔵

ていたら、ある日、夢に出てきたんです。ヴィジョンはなくて、概念として伝わってきました。猫ですから言葉ではないわけですが、僕はそれを話として受け取るわけです。

タマと夢の中で話し合えるようになって、それ以外にもいろいろな話をしてくれました。死んで今、住んでいるところは、成城にいたときと同じうちを神様に造ってもらった、と。それは田んぼのど真ん中にあって、近所にいる茶色の縞《しま》模様のおばあちゃん猫が遊びに来る……。

亡くなったときに、「あなたはどうしよう、どうしようって、私の亡骸《なきがら》を抱えたまま、庭でうろうろしていたね」なんてことまで言うわけです。夢の中で、そんな話をずっとしてくれるんです。

猫も、人間も、生きている間は互いになかなか通じにくいですが、どちらかが死んだ場合のほうが通じやすい。このことは三島さんも、僕のことを書いた『ポップコーンの心霊術――横尾忠則論』(『文豪怪談傑作選／三島由紀夫集』東雅夫編、ちくま文庫、二〇〇七年)で語っています。

当時は講演に行ったり、公開制作に行ったりするときに、うちからキャンヴァスと絵の具を持って、その楽屋などでタマを描いたりしていましたね。タマの絵は七十枚以上描いたでしょうか。百枚まではいっていないと思います。

タマは、何か僕の子分みたいな感じでね。トイレに行くと、一緒についてくるし、朝、アトリエに行きますよね。そうしたら、奥から走ってきて、庭から門まで二十メートルぐらいのアプローチがあるんですが、必ずそこをずうっとついてくるんです。門まで来ると、そこから先は行っちゃいけないことがわかっているから、じっと座って、「バイバイ」って言うと、後ろを振り向いて帰っていくんですね。うちのかみさんは餌をあげているから、餌係として懐いているんでしょうけれど、僕は何でしょうね。

タマとは十五年ぐらい一緒にいましたね。旅行へ行くとき、玄関に鞄《かばん》を置くでしょう。そうすると、長旅だってことがわかるんですよ。そういうときは嫌がります。パッと家の奥へ行ってしまう。鞄を持ってきたら、あっ、長旅だ！　ってわかるんでしょうね。フンっとして、そのまま消えてしまうんです。

そういうところは、本当に人間っぽいんですよ。だから僕は、タマを猫として、あまり見ていなかった。向こうも人間のことを、自分より上とは思っていなかったんじゃないですかね。

タマが死んでから一年弱ほど経って、新しい猫を飼うようになりました。おでんという雌猫です。おでんはまったく僕についてこない。そこは、タマと全然違います。

あるとき家へ帰ってくると、玄関がすごくおしっこ臭いんですね。あぁ、また、タマが来て、おしっこしていると思ったので、うちのかみさんに「ちょっと水撒《ま》くから、持ってきて」と言ったら、うちのかみさんは「全然、臭わない」って言うんです。僕にはすごく臭うので、バーッと水をかけたら、臭いが消えた。僕は、そういう霊的体験が多いので当たり前なんですけれどね。

こんな僕の話を、作り話に決まっていると思う人はそれでいいんです。でも、不思議な話は他にもたくさんあります。

第三章　死後を生きる

優れた芸術作品には死のメタファーが潜んでいる

創作とは「死の世界」が相対的であるという概念に立つ行為ではないでしょうか。死が生の世界の転倒したものという考え方それ自体がすでに創造的ではないでしょうか。

美術にしろ、音楽にしろ、素晴らしい作品の背後には必ず死のメタファー(暗喩、隠喩)があります。直接的に死を描いたり、表現したりしなくても、芸術家の魂が自然に表現されるものです。それを感じ取る能力のない人は残念ながら、芸術とはほど遠い生き方をしている人です。わかる、わからないの問題ではないです。その人が真剣に生死に向き合っているなら、誰でも死を感じているはずです。

芸術家でも、観念的に死を捉える人は多いですが、僕のように身体的に捉える人はあまりいないと思います。生きている限り死と同化しているわけですから、切り離して考えることはできません。生きている限り死がつきまとっているような、そんな感じです。

絵を描くことは生の証《あかし》でもあります。絵を描くことは、僕にとっては肉体を通しての表現です。

子供のころ、一歳から十九歳までの少年期の体験でしょうかね、この時期に人格も形成されるし、土台がそこでできちゃうと思うんですね。知識だとか、情報だとかは後天的に作られるものです。

僕は一歳から十九歳までの経験・記憶というものがその後の自分の体験を通して、創作に強く関わっています。やっぱり創作することが生きることと一つになっているというか、離れているけれどそれらが渾然一体《こんぜんいったい》となっている感じがあります。

死というのは生の続きだから怖いのであって、死と一体化して自分が死の対象そのものになれば、怖くないと思った。それで、対象と同化するような作品を描き始めたんです。もっとも、生と死は必ずしもイコールで結ばれているものではなく、一個一個がセパレートではあるけれども、その時々で同化したり、変化したりするんです。僕の状況や環境などによってもそれは変わっていきますからね。

僕はこれまで、滝とか、涅槃とか、Y字路とか、そういうものをテーマに描いてきましたが、後付けで考えると、それを異次元への入り口にしているという感じはします。

だけど、描いているときは、何で滝で、何で涅槃で、何でY字路なのか。それは自分でもわかりません。

ただ、衝動がすごいんです。涅槃と思ったら、もう涅槃をことごとく集めようってなるんです。

あるとき、中国でブッダの涅槃像を買って帰って、それを自宅のマントルピースの上に置いて眺めながら……僕もソファーで偶然、涅槃の格好をしていたんです。あれっ、僕とブッダの格好は同じじゃないか！　と思った。そこで、ブッダだけじゃなくて、他の人間も動物も含めて、あの格好をした置物を集めたらどうかなと思って集め出したんです。

結局、六百体ぐらい集まりましたかね。まるで業者みたいになって、外国までわざわざ涅槃像を買いに行くんです。アメリカへも、ヨーロッパへも、東南アジアへも、涅槃像だけを買いに行くんですよ。

それを買って何をするのか、帰ってきてからどうするのかということなんて何も考えていないわけです。普通だったら、目的を持ったり、その結果を考えたりするんでしょうけれど、僕にはそれが全然ないんです。だから、何で涅槃だって言われても、それを説明しろと言われても、全然説明できないんです。

Y字路や滝もそうですが、なぜかそういう説明がつかないものに駆り立てられていく。まぁ、後付けで考えれば、理由はいくらでもつきます。だから、Y字路だって、右へ行くのか、左へ行くのか。そういうことさえもまったく考えていないんです。

『涅槃境』（新潮社、1998年）

それが何を意味して、何でそれに惹《ひ》かれるのか。それを集めたり、それを描いたりっていうところは、自分では究明しないままです。

滝のポストカードも、最初からそんなに集める予定じゃなかったんですけれどね。全部で一万六千枚くらいはあると思います。

今だったら、ネットがあるから、集めやすいけれども、ネットのない時代ですから、時間はかかりました。

アメリカのメイン州に、カムデンという小さな村があるんです。そこの村のアンティークショップに入ったら、滝のポストカードがたまたま売っていて、あ、ここに滝があるわと思った。僕はそのころ、夢の中に滝ばかり出てきていたんです。だから、この滝のポストカードを買って帰ろうと思って、百枚くらい買ったんですよ。

それで、その店のおばあちゃんに「滝のポストカードをこれから集めたいので、アメリカ中の滝を集められないか」って訊いたら、「ポストカードを扱う業界があるから、そこにいろいろ話せば集まるかもしれない」と言うんです。それで、おばあちゃんと交渉して帰ってきた。

そうしたら、まとめて送ってきました。そのおばあちゃんの情熱がまた、すごいんです。ところが、ある日突然、来なくなった。僕は今、思うんだけれど、あの時点でおばあちゃんは死んじゃったんじゃないか、と。歳が歳でしたから。

いつの間にか、膨大な量が溜《た》まって、どうしていいか自分でもわからなくなってしまっ

《滝のポストカード・インスタレーション》
2006年。カルティエ財団現代美術館にて

たわけです。だから、その写真の供養をしようと思って、展示会場の壁に貼りつけでもすればいいかなってことになった。そういうわけで、滝のインスタレーションが始まったんです（『GENKYO 横尾忠則　原郷から幻境へ、そして現況は？』東京都現代美術館、二〇二一年七月一七日〜一〇月一七日。他にニューヨーク、パリ、ローザンヌなどでも発表）。

コレクションは十九世紀のものや、一枚千円、千五百円ほどするものもあります。毎回、小包の塊が送られてくると、だいたい二十万円くらいになりました。アンティークだから高いんです。

ただ、それを何に使おうという用途もないし、まず、目的がない。目的のないことをするというのが、僕のテーマでもあるわけです。

結局、僕は目的を持ってやっていないから、いろんなことがやれたんじゃないかと思います。目的がないということは、遊びの領域ですよね。要するに、遊びでいいんです。人間って、遊ぶために生まれてきたんだから、そのチャンスを与えられたと思えばいいんじゃないでしょうか。

Y字路にしても、行きたいほうへ行けばいいし、両方とも、どっちに行っても、もしかしたら、地獄かもわからない。行きたくなきゃ行かなくてもいいし、それは全然かまわない。

予見を持って絵を描くことはありません。だから、Y字路シリーズの発表をしたときも、Y字路についてのインタヴューが一番困ったんです。何でそんな絵を描いているのかと訊かれても、本人もわからないんです。

ただ、Y字路なんていうのは、どこにでもあって、皆が知っていますよね。だけど、そのことに気づかなかったわけです。気づけば、作品のテーマになったと思うんですけれど、世界で誰も気づいていなかったということです。だから、面白かったんでしょうね。

道とか、旅とかっていうのは、人生の比喩としてわりと登場しますけれども、右に行くか、左に行くかで、何か違うのかっていうのを想像するでしょう？　運命的なものが、どっちを選ぶかによって決まるような気がするのかもしれませんね。右に行ったら、どうなんだろう、左に行ったら、どうなんだろうって。

たいていの人は、そんな具合に、Y字路を岐路として捉えます。岐路と言えば、毎日が

《White Light Ride》
2003年。個人蔵

岐路です。常に選択に迫られています。どっちへ行くか、どっちを取るか。そう考えれば、Y字路は確かに人生そのものですね。

でも、Y字路を発見したときは、Y字路が人生だなんて考えたこともなかった。もし、Y字路を観念として捉えていたら、あんなにたくさん描く必要もなかったでしょう。反復することで、何かが見えてくるんです。それはいまだに終わっていません。

二者択一を迫られても、僕は選ばないんです。どっちも選ばず、運命が導くほうへ行くんです。全部、運命に任せてしまうんです。他力に任せて、そのときに初めて自分の自力が動くわけです。だから、いわば人任せです。

前にも言いましたが、子供のころ、老養父母のところで育ったでしょう。何もかも全部、親がやってくれたんですよ。僕は何もしない子供だったんです。それで、自分で物事を決定することをしない子供になってしまった。優柔不断な子供として育てられたわけです。ところが、それが今の仕事に非常に向いているわけですよね。優柔不断、非決定でいいんです。だから、運命に従うことができたんです。

とにかく寝食を忘れて、自分の好きなものに熱中することは大事だと思います。何のために？　なんて考えないほうがいいんです。目的のないものに夢中になることは、知らず知らずのうちに天と通じているような気がします。天に通じれば、何も求めなくても、何かが必要なときには、直感を通してそれを実現してくれるように思います。そうでなければ、主体的な行動をとったはずです。運命に従えなかったと思うんです。

死の世界はコンセプチュアルではない

コンセプチュアルとは、頭で徹底的に考えて、考えて、理論化するということです。それを芸術的に具現化していくのがコンセプチュアル・アートなんです。

僕はまったく逆です。考えない。考えない。できるだけ、考えない。考えないようにしていると、その先に何かが出てきます。考えて出てくるものは得た知識からのものですが、逆に、無為の中から出てくるもの。そこに現れる何かを大事にしています。これが、僕の絵になるわけです。

それは観る人に、何かわからないけれど、力を与えるんです。ただ、単なる力じゃなくてね。三島さん流に言うと、霊性なのかもしれません。つまり、霊性が向上すると、放っておいても、霊性的存在になって、それなりの作品ができるんじゃないかというのが僕の意見です。普段、霊性なんてまったく考えていません。むしろ、やりたい放題です。

涅槃とよく似た格好で、オダリスク（odalisque）というのがあります。僕が『新輯版《しんしゅうばん》薔薇刑《ばらけい》』（集英社、一九七一年。細江英公《えいこう》が三島由紀夫をモデルに撮影した写真集の新版）の絵を描いたとき、三島さんがオダリスクの格好をしてそれを描いてくれって言うんですよ。僕はてっきり、三島さんが片肘をついて寝そべる、あの涅槃の格好をすると想像していたんです。

オダリスクはイスラム君主のハーレム（後宮）で仕える女性で、誘惑するポーズをとります。それを真似《まね》る三島さんはゲイで、いわば両性具有です。涅槃とオダリスク。対極を一人が表現するなんて、人間くさいでしょ。だけど、三島さんだからよくわかるわけです。我々も、自分の中に涅槃の聖なる要素とオダリスクの持つ俗なる要素があるんじゃないかと。じゃあ、徹底的に両者の像を集めてみよう。それが、あの膨大なコレクションになったんです。

三島さんが両方の意味をわかったうえで、あえてやったのかどうか。意識的な人だから、おそらくわかっていらしたとは思いますけれど、観念と感覚の共有ということだったんでしょう。あるいは、彼の本能的なものだったかもしれないですね。だから、三島さんは「俺はゲイだよ」と言わんばかりの肉体的表現をしたのではないでしょうか。

三島さんは、文学より美術、ヴィジュアルのほうを上位に考えていたように思います。だから、ああいうポーズをとったのかなという感じもしますね。三島さんにすれば、あれは文学的表現ですが、文学は信用していないというようなことを言っていました。

涅槃とか、彼岸とか、冥土《めいど》とかというのは死後の世界の話で、現世のことじゃないですね。だけど、我々は、死後の世界というのをどうしてもファンタジー的に捉えて、そこにリアリティーを求めていない。近代的な考え方の中では、どこかでそういったものを切り捨てているところがあります。僕は、それはおかしいと思うんですね。やっぱり、ヨーロッパの二元論（たとえば、心と体はそれぞれ独立しており世界はこの二つが元になり構成されているという考え＝ルネ・デカルト「心身二元論」）的な考え方じゃなくて、一元論（たとえば、一つの実体から現実世界が成り立っているという考え。心と体は繋がっていることを表す「心身一如」

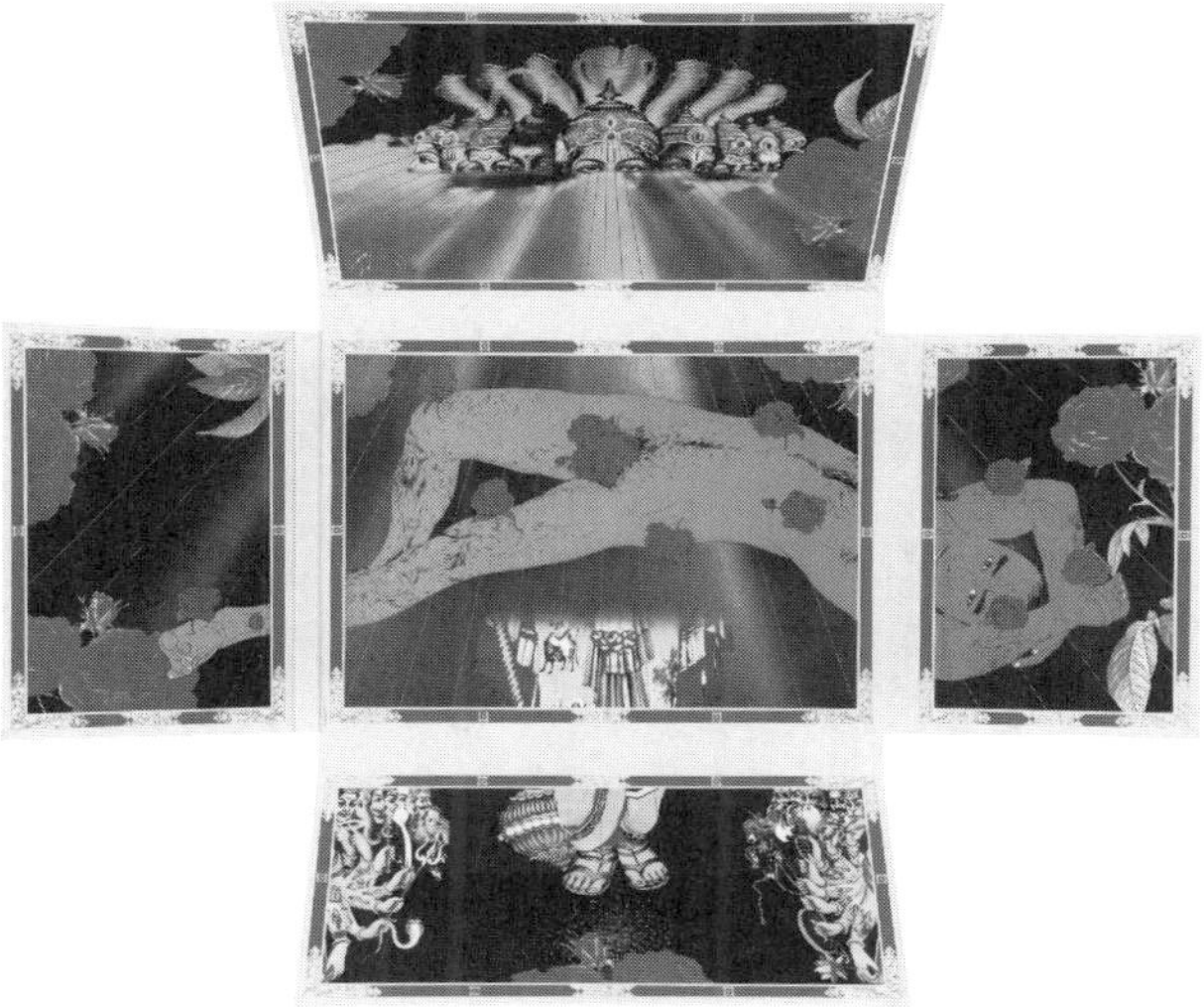

『新輯版 薔薇刑』（集英社、1971年）より

という言葉もある＝仏教）的に捉えていかないと生と死の問題は解決できないんじゃないでしょうか。

死後の世界のような不可知的な問題は、哲学や宗教などを通じて論理的に考えていくのではなく、もっと芸術などを通じて感性的、肉体的に考えていったほうが捉えやすいし、真実に近づけるんじゃないかと思います。

僕の作品を神秘主義的な視点で見たのは、ウォーカー・アート・センター（全米屈指の総合アートセンター。ミネソタ州ミネアポリス）の館長だったマーティン・フリードマンさん。今までに会った中で、この人一人だけです。

これまでに、美術評論家やキュレーターなど、内外のいろいろな関係者と会いましたけれど、その人は、京都でほとんど一晩中、僕のいろんな霊的体験の話をしてほしいって言うんです。僕の作品を見れば、それを感じるって言われたわけです。「あなた、もしかしたら、いろんな超常現象的なことを体験していませんか」と。

僕は、彼が西洋人ということもあって、ちょっと警戒していたんですよ。でも、彼は何かすごい真摯な感じだから、あぁ嘘ついてないなと思って、それで話をしたんです。

そうしたら、「アーティストは、あなたが経験したようなことを経験すべきだ。あるいは経験しなかったとしても、そういう世界を認めて評価しなきゃいけない。これからのアートがやらなきゃいけないのは、そこなんです。だけど、それを誰もやろうとしない」と言う。

それから間もなく、館長を辞められましたけどね。

今、僕がやっているのは、寒山拾得《かんざんじっとく》（中国・天台山国清寺にいたとされる唐《とう》代の僧）です。一年かけて、百点をやっと描きあげました。

生と死を超えた存在ですね、この寒山拾得という人たちは。もう生とか、死とか、そんな世界を超えているんです。ものすごく多義的な生き方をした中国の風狂の禅僧で、実在の人物かどうかも怪しい。もしかしたら、理念上の存在かもしれません。

そういう生と死を超えた生き方というのは、やはり興味がありますよ。フリードリヒ・ニーチェ（ドイツの実存主義的思想家）ではないですが、やっぱり最終的にアートは生死を超越した存在であるべきだと思います。

寒山拾得は非常に多義的だと言いましたが、別の言い方をすれば生き方にスタイルがな

《寒山拾得 2020》
2019年。作家蔵

い。何かの型にはめられない存在です。

あの坊さんたちは、自我を滅した結果がヘラヘラ笑ったアホ顔になっている愚者ですが、ある意味では悟った人間です。だから、悟った人間になるためには自我を殺す必要があるということで描いたんです。僕の絵の中では、首を吊《つ》って二人は死ぬんです。そして、普《ふ》賢《げん》菩薩と文殊《もんじゅ》菩薩の化身になるんですね。

その寒山拾得を、僕は僕の内なる存在として見ることにしたんですよ。それによって、自分は今もって謎だと思いました。だから、寒山拾得を描くことで、自分の謎に迫ろうとしたわけです。この歳になっても、自分というのはわからない存在です。そこに興味があったんですね。

これらの作品を作っているアトリエは創造と同時に破壊の場所です。誕生と同時に死の場所でもあります。だから、アトリエをサンクチュアリ（聖域）と呼んでいます。

絵を描くことは生みながら死んでいく行為です。この両者が一体になって絵ができるのです。つまり、受信と発信を同時に行うのです。そういう意味で、アトリエは人間の胎内でもありますね。女性原理と男性原理が一体化した両性具有の世界です。女性原理が霊感を宇宙から受信して、それを受けた男性原理はその霊感を社会に送信します。そのことによって創造が誕生します。つまり、女性原理と男性原理がアトリエという胎内でセックスをするのです。そのセックスによって胎児である創造が生まれるわけです。

僕の小説であると同時にドキュメントでもある『原郷の森』はアトリエを母体とした、ある意味で創造の飛行物体、母船でもあるんです。

このアトリエで毎日のように筆を動かしていても、僕の絵はほとんど未完成です。というか、未完を装った完成作です。作品は、生のプロセスそのままの進行形なんじゃないかと思っています。

絵を描くことで死のシミュレーションをしている

僕は、「肉体よりも創造のほうが先にきて、創造によって、逆に寿命が作られていく」

と考えて、これを「創造年齢」と名づけたんです。

「創造年齢」というのは偶然、自分の口から飛び出したんですが、ドイツのある美術評論家が日本に来たときに話していて、思わずその言葉を使ったんです。そうしたら、その美術評論家は「これはものすごい言葉の発見だ」と。「これから私も使いましょう」って言っていました。その人が何をどう捉えたのか、僕はちょっとよくわからないんですが。

創造年齢には、上限なんてないんだと思います。

僕は絵を描いています。何を描くか。これが主題なんです。でも、何を、どう描くか、というのは様式です。最初は皆、何を描くかという主題に興味を持ちます。

その次には、それを表現する様式。ところが、それだけだと足りない。そうすると、後は何が大事かと言うと、やっぱりいかに生きるかっていうことに繫がっていくんです。

だから、僕はもういろんなものを描きますけれども、主題は選ぶ必要もない。様式の追求のためには、主題は別に何だっていいんです。

最近、実は絵を描くことにちょっと飽きてきたんですよ。と言って、描き尽くしたというのではないんです。描き尽くすというのは、ある目的があって、目的を達成したから嫌になったということだけれど、僕はそうじゃないんです。

絵は、もう本当に面倒くさいんです。これはたぶん、子供のころにスタートした時点で面倒くさくて嫌だと思ったんです。何かをやっていても、嫌々やってるみたいな感じがある。そういう感覚を自分の中で自覚したときに、それが諦めっていうのか、もうええわ、この程度のもんでええじゃないかという、何も頑張る必要なんてないんじゃないかという境地に至ったんです。諦念ですよね。

そこで何が起こったかというと、前よりも自由に描けるようになったんです。何を描いてもいいんだって。下手も上手もないんだ。どの色を使うということも、ええじゃないか。もっと極端に言うと、どうでもいいっていう気持ちが絵の中から起こってきたんです。

それはたぶん、今までになかった自由な感覚だと思うんです。生きているときは、これは何を意味している、これはどういうふうに描いたかということを考えます。けれども、死んでしまったときは、どうでもええじゃないかっていうふうになると思うんです。

だから、僕は死んだときの状態に近いことをやっているのかもわかりません。

時々、自分の絵を、僕の死に対するシミュレーションをやっているんじゃないかと思うことがあります。これを描いて、世の中に何かを伝えよう、何かを訴えよう……。そういうのは何にもないんです。ただ、そう描きたかっただけです。気がついたら、こんな絵が描けちゃいました。そういうことです。

人は二つの時間を生きている

人は二つの時間を生きています。

一つは、生きていると意識している時間です。この意識している時間というのは、言ってみれば昼間の時間です。

もう一つは、意識していない時間です。この無意識（潜在意識）状態の時間というのは、夜の時間です。寝ているときは夢を見ますが、これは無意識が見せてくれるものです。

本来であれば、昼間の顕在意識と夜の無意識を合体させればいいのですが、我々はそれを切り離して、夜は何もないことのようになっているわけです。

夜の無意識が見せる夢の世界は、僕にとっては現実の一部で、むしろ夢のほうが真の現実だと思っているほどです。

夢を見ても、起きるとほとんど忘れてしまいます。だから、僕は、夢を忘れないうちに全部書き込んでいるんです。この「夢日記」は、もう五十三年も前から続けています。

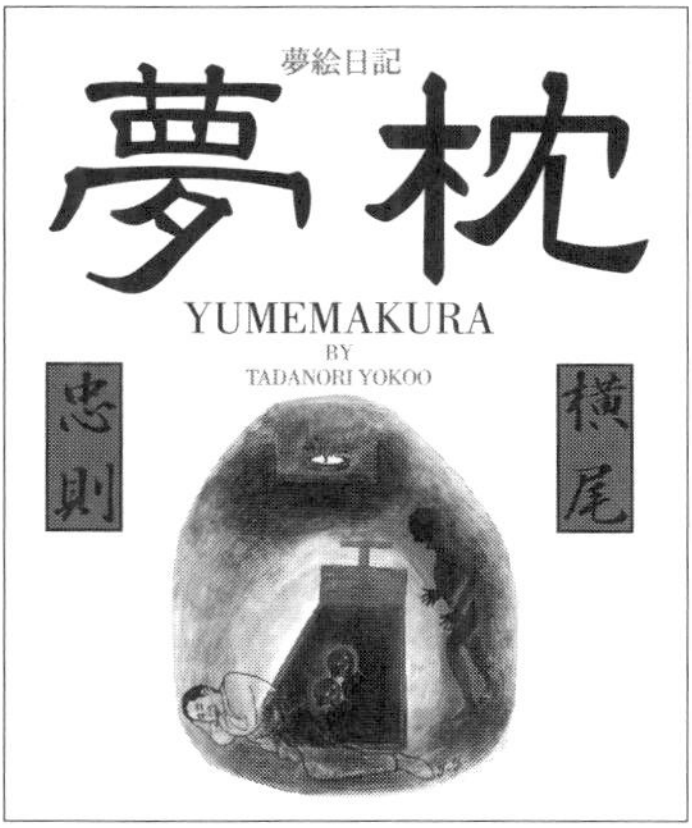

『夢枕』
（NHK出版、1998年）。横尾の夢日記をまとめた一冊

僕は夢の時間を「夜の人生」と呼んでいます。意識が支配している「昼の人生」と、この「夜の人生」を合体させることが本当のトータルな人生だというのが僕の考えです。夢日記をつけているのもそういう理由からです。

昼の人生を支える意識には、どうしても嘘が入ります。意識によって脳を動かし、脳が物事を都合良く見て、都合良く編集してしまう。ところが、夜の人生は嘘をつかないんです。夜の自分というのは、本当に嘘をついていないんです。無意識だからつきようがないんです。

ですから、夜の人生とは、魂が体験する世界ではないかと、僕は思っているんです。魂は嘘をつく脳の一部ではなく、正直な肉体に近い存在だと捉えているからです。

せっかく嘘をついていない人生があるのに、それを切り離して無視すると、昼間の嘘をついている人生だけが自分の人生になってしまいます。でも、そこに夜の本当の人生を加えると、もう一つ別の何かが生まれるわけです。

肉眼で見えないものを描くというのが芸術行為だとすれば、夢は僕の作品に大きな働きをしてくれています。昼の人生と夜の人生、その二つの人生を生きているという認識を持つことで、僕は人生を二倍楽しんでいるような気がします。

ユングに言わせると、夢という無意識は言語化することで、顕在化できることになるんです。ですから、人に話してもいいのです。どんな形でも言葉にすれば、無意識が、意識になってくるということです。そうやって、顕在意識と無意識が合体したときに、そこにシンクロニシティ（共時性＝意味のある偶然の一致）が起こると言います。シンクロニシティとは、偶然が必然になるということです。そこに興味があるのも、僕が夢をずっと書いている理由なんです。

神秘主義的な解釈では、人間の肉体の中にエーテル体とアストラル体があるという話を前にしました。これは日本語にすると、幽体と霊体というものです。

夜眠ると、エーテル体を肉体の中に残したまま、アストラル体が出ていくんです。どこへ出ていくのかと言うと、霊界に出ていくらしいんです。霊界には「霊界太陽」という太陽があります。その霊界太陽のエネルギーを受けて、体の中に戻ってくる。戻ってきたときに、肉体とエーテル体にアストラル体が合体するんです。そのときに、目が覚める。目が覚めたとき、気持ちがいいでしょう？　元気になったような気がしますよね。それはなぜかと言うと、霊界太陽のエネルギーをアストラル体が吸収していたからです。だから、人間が眠って、朝起きたら元気になるというのはそういうことなんです。

夢の中で死者に会うことがあります。それは誰もが、眠るとアストラル体が抜け出して、霊界に行くからです。これは死んだときの訓練にもなるんです。霊界へ抜け出す訓練を毎晩やっているということですから。

ジークムント・フロイト（オーストリアの心理学者、精神科医。精神分析学の創始者として知られる）は、『夢判断』（一九〇〇年）で「夢は、無意識を顕在化したもの」と言っていますが、僕は外部から入ってくるテレパシックな夢もあると思っています。

たとえば、「夢枕に立つ」という言葉がありますね。あれは死者からの、夢というツールを通した、一種のコンタクトじゃないでしょうか。夢を見る理由は多岐にわたっているはずなんですよ。だから、すべての夢は無意識に起因するというフロイトの言い方は必ずしも正しくないと思います。

昔、宇宙人とコンタクトが始まったとき、（驚かないでください）交信は全部テレパシーでした。寝ている状態のとき、テレパシーを送ってくるんです。それが一番記憶しやすいということですね。起きているときよりも明晰に入ってくるんです。それをドリーム・コンタクトと言うらしいんです。

もっとも、人間同士がテレパシーで交信するというのは、かつてはあったかもわからないけれど、今はないですからね。だから、それは夢から切り捨てられているわけです。ただ、こういうことはあまり理論化しないほうがいいと思うんです。いい加減でいい。下手に理論化すると、全部が知性に属するものになって、つまらないものになってしまうんです。だから、知らんものは知らん、わからんものはわからんっていうくらいの感覚で捉えるのが一番いいと思います。

わからないものはわからないと、理屈で捉えることをしなければ、直感が一番入ってくるんです。ものを考えているときは直感が入りませんから。無為な状態、空っぽな状態が一番直感が入りやすいんです。

でも、直感にも限界があります。直感というのは、宇宙など見えない世界から降りてくるような感じがあるかもしれませんが、実はそうじゃなくて、正確に言えば、経験と理性の中から来るものです。その意味では、直感は大したことはないんです。

では、本当の大したことというのは何か。それは、今生の時間だけじゃなくて、前世の前世、そのまた前世が折り重なった、何万年、何十万年も前からの魂の経験です。その経験を咀嚼《そしやく》すれば、今の仕事や何かに生かすことができます。だから、何か大きいことをやろうと思えば、前世と会話すればいいのです。その手段の一つが、アカシック・レコード(akashic records) というものです。夢もその一部かもしれません。夢では、現世だけでなく、その人の過去世の夢を見る場合があるんです。ですから、夢はすごく大事なんです。

僕の過去世なんて、たくさんあってわからない。なにしろ、何百回も転生しているわけです。夢は、そうした魂の無数の経験をいろいろと見せてくれるわけです。

僕は今、日本人ですが、決して全部の過去世が日本人だったわけではないと思います。ヨーロッパが多い感じです。特にイタリアが多い。イタリアのものに関して、なぜかものすごく興味があるんです。フランスに関しても、特に田舎に興味があります。おそらく、フランスの田舎に何度も生まれていたんじゃないかなと思いますね。でも、それがどうした、くらいに軽く考えています。

アートが見せる未来の現実

夢には未来のことを予知する予知夢というのがありますが、僕は夢の中でなくて、起きている状態で予知の体験をしたことがあります。

新型コロナが流行《はや》る前ですが、美術館で病院展（『兵庫県立横尾救急病院展』横尾忠則現代美術館、二〇二〇年二月一日〜八月三〇日）をやろうという企画のときです。企画の段階では、まだコロナなんて影も形もなかったし、WHO（世界保健機関）が中国・武漢で発生した新型コロナの拡散について「世界的な緊急事態」であると宣言したのは展覧会前日の一月三一日（日本時間）で、日本での流行はまだ始まっていませんでした。

まもなくオープニングを迎えようというその日に、お客さんが二百人くらい来るから、二百人全員にマスクをかけさせよう、とハッと思い立ったんです。すると、美術館の学芸員は「エッ！　何でですか?!」と言うわけです。でも、病院展ですから、病院の内と外は区切られている。病院の外を歩いている人はマスクを着けていないけれど、病院の中に入った途端にマスクの人がいっぱいいるでしょう？　僕の中で何かを感じるわけです。そこで、僕は急遽《きゆうきよ》、学芸員に、「美術館が病院になるんだから、全員にマスクを配りなさい！」と伝えた。でも、学芸員はまだ、「ええ、観客にマスクなんか……どうしてですか？」なんて納得していなかったのです。僕は半ば怒って、「何を言っているんですか、美術館が病院になるんです！」と言いました。確信のようなものがあるから強気になっているんです。

結局、来られた二百人近くの方全員にマスクをして入ってもらったんですが、その光景は実に面白かった。「こんなにマスクだらけの人を見たのなんて初めてだ！」って言いながら、皆マスクをジョークだと思って笑っていたんです。

ところがコロナ禍になってから、どこへ行ったって全員がマスクを着けるようになりましたね。

これは現実だけれど、僕の一種の予知意識です。白昼の予知夢だと思います。そういうことはたくさんあるんです。

アートというのは、知らないうちに未来を描き込んでしまうようなところがあるんです。発表して何年か経ったとき、「ここに全部描いていますね」なんて言われることがあるわけですね。

マスクに絵を描いた「舌出しマスク」もたぶん、世界で初めてだったと思います。一九六八年にすでに制作していたのです。コロナでマスクがクローズアップされて、色を付け

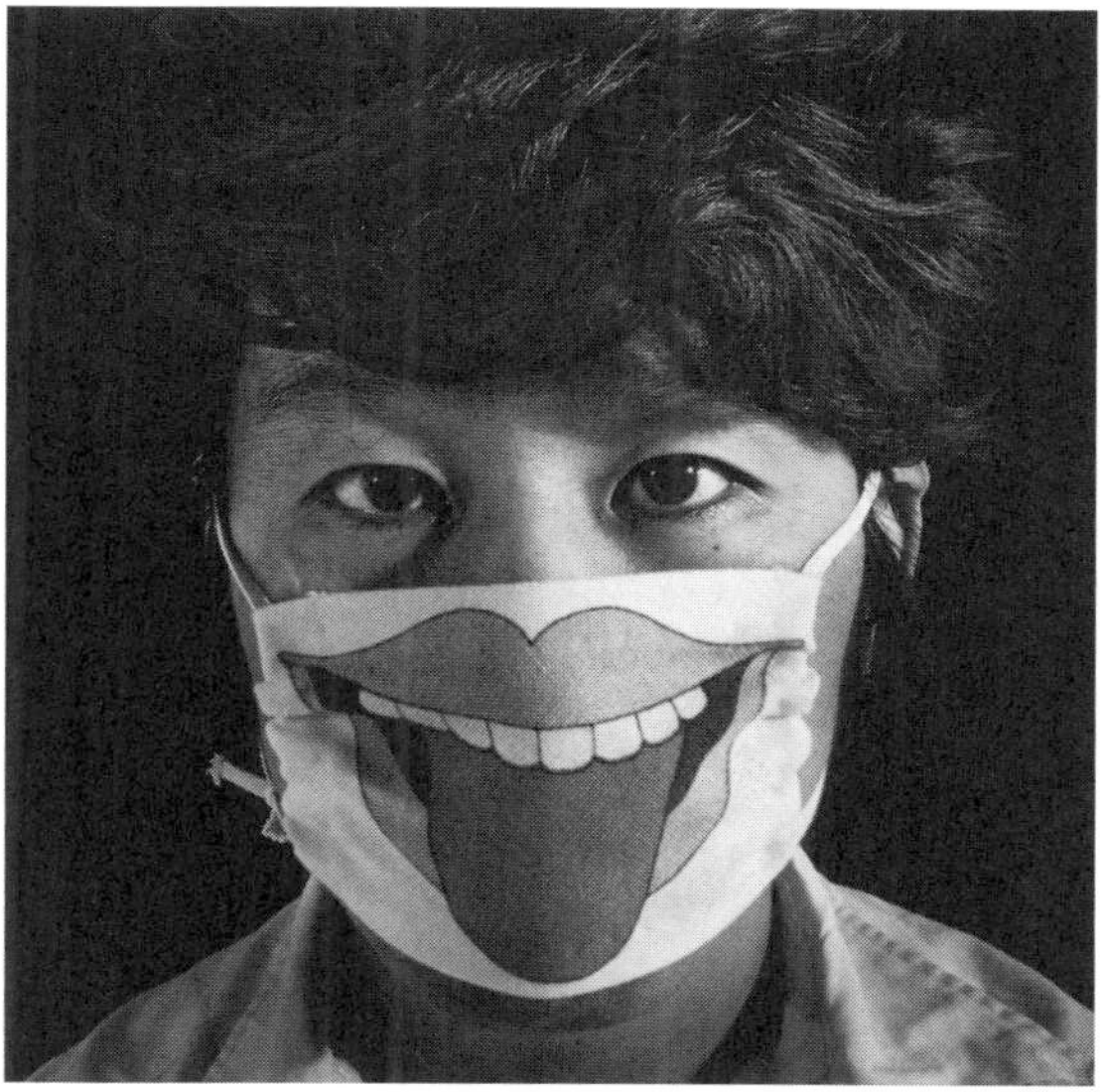

32歳の著者　撮影／石元泰博、1968年
© Kochi Prefecture, Ishimoto Yasuhiro Photo Center

たり、絵を描いたりするようになりましたが、当時は世界のどこにもありませんでした。

予知というのは未来のことですから、時間が経って未来が現実になったとき、初めて予知能力だったということがわかるわけですよね。今、描いている作品も、何年か後に「あ、ここに描いてますね」と言われるかもわからない。コンセプトで作ったものは、そんなふうにはなりません。無意識でやったものが、そういう力を持ち得ると思うんです。

悪夢の効用

悪夢を見ると、これは一種の予知であって、良くないことが起こるんじゃないかと不吉がる人がいます。

でも、夢は悪夢のほうがいいんです。なぜなら、これは魂の救済や業からの脱却に繋がり、ひいては悟りへの近道にもなり得るからです。

悪夢にうなされて、「怖かったわ」と言って済ませるんじゃなくて、目覚めたときに、悪夢じゃない実人生が待っていたと思えば、そのほうがよっぽどいいじゃないかということです。

夢の中で物を失ったり、迷子になったり、あるいは何かに追い込まれて窮地に陥ったりして、一種のパニックが起こるなんていうことはけっこう多いわけです。

でも、うなされて汗をかいていても、あ、夢だったのか、救われたという感じが起こるでしょ？　これは、目覚めによって、夢の中の恐ろしい状況から救われたわけです。だから、ここは喜んで悪夢に感謝したほうがいいんです。そうすると、日常でもトラブルになりそうなことが回避されたりするんですね。つまり、実人生において救済されるわけです。


夢というのは、体を通した体験です。自分自身の体を通すというのは重要なことです。立派な人が書いた本を読んで、そこにある言葉を覚えると、あたかも自分の考えのように思い込んでしまうことがありますが、所詮は借り物なんです。

借り物などでなく、本当に自分のものにするには、自身の体を通すことです。夢は紛れもなく体を通して体験するものですから、やはり自分の中で、ちゃんとその夢を夢として自覚したほうが僕はいいと思います。

そうでないと、死ぬときに、虚無などという重苦しいものと向き合って、それを味わわなきゃいけなくなってしまいますから。

宇宙のすべての記憶にアクセスする

『原郷の森』を書いていたときは、アイデアがどんどん浮かんできたんです。この経験は、絵を描くときとそっくりです。

絵も最初から構想はなくて、思いついたものから描いていく。そして最終的に、こんな作品ができてしまったという感じでできあがる。それが、僕の絵です。『原郷の森』のときも、結果的に絵と同じ方法で書いたことになりますね。

これは誰でも、知らず知らずにそういうことをやっていると思います。文章を書こうとするでしょ。そうすると、どんどん書けちゃうことがあるじゃないですか。どんどん書けちゃうということは、インスピレーションの源流と無意識でコンタクトしているんだと思います。

宇宙にはアカシック・レコードがあります。アカシック・レコードとは、元始からのありとあらゆる事象、想念、感情が記憶されているという宇宙情報の概念であり、自分の過去の魂が経験したものの全記憶のことです。その魂の記録にアクセスすると、そこからインスピレーションが得られる。だから、我々は一人ひとりが、そのアカシック・レコードを知らず知らずのうちに使っているような気がするんです。

アカシック・レコードは、その人の前世からの魂の経験が詰まった蔵です。いわば、宇宙の図書館というか、マザー・コンピューターみたいなものです。これまでに存在した人類、あるいは地球の創世記からの膨大な記憶が、すべて記録されている。いろいろな過去の経験、体験が全部内蔵されているわけですから、人間はそれを活用すればいい。そこにアクセスすると、アカシック・レコードが持つ豊穣《ほうじょう》な情報が得られます。インスピレーションの根源です。

そんなものは非現実的だと言ってしまったら、アカシック・レコードも否定されるし、輪廻転生も否定される。そうすると、死さえも否定される。そして、努力で得た知識だけに頼って終わっちゃうんですね。

『原郷の森』では、考える以前に、ポッポッと浮かんだことをあたかも自分の考えのようにそのまま書いたんです。というのは、こういうことを書こう、こういうことを書きたいと、考えて、考えて、書いているわけじゃないからです。書いているときには気づかないのだけれど、読み返してみると、不思議なこととか、自分でも気づかないこととか、本当にこんなことを考えているのかなと思うことをかをいろいろ書いているんですよ。それが何なのかはわかりません。とにかく、そう書きたくなってしまうんです。

書いているとき、知らず知らずのうちに、無意識でそういう記憶にアクセスしているのかもわかりません。ただ、考え過ぎると、インスピレーションはあまり得られないと思います。むしろ、考えないでいるときのほうがどんどん書ける。絵もそうです。考えることを放棄したときに描ける。

僕は絵を描くときに、初めから終《しま》いまで、その作業ばかりしているんです。何を描くかというのは考えないんです。考えると、考えた自分の知識の範囲内のことしかできないから、考えないんです。だけど、そのときに、ふっとやりたいこと、したいことが勝手に浮かんでくるんです。その瞬間というのは、アカシック・レコードに無意識にアクセスしているような気がするんですよね。

もし、何かものを書くときには、二万冊も本を読んでいたら、二万冊の中からの知識を応用するはずです。僕にはそんな知識がないから、そうしないんだと思います。

だから、間違ったことも平気で言えてしまう。知識があると、間違ったか間違っていないかっていうことを、後で確認したり、検証したりしなきゃいけないじゃないですか。そんなことは全然しないんです。

アカシック・レコードは、努力とか、教養とか、知識とかと関係なく、宇宙が持っている智慧《ちえ》ですからね。すでに魂が知っているわけです。だから、それをただ利用すればいいんじゃないかなと思います。

勉強し過ぎて、知識を溜め込んだら、そういう人はアカシック・レコードなんか信用しないですよ。というか、知識が邪魔になって、アカシック・レコードとコンタクトできません。どうしたって、自分が学んだことに自信を持って、その中から引っ張り出そうとしてしまうでしょ。僕はそういうことがあまりないので、ふっと浮かんだものを書（描）くんですけれどね。ふっと浮かぶ、その「ふっ」っていうのが、もしかしたらアカシック・レコードなのかもしれません。

けれど、アカシック・レコードは直感ではないと思うんですよ。直感というのは閃《ひらめ》きですよね。理性と経験の中から出てくるものじゃないですか。アカシック・レコードは理性と経験じゃなくて、輪廻の思想です。輪廻が記憶しているものを書くわけですから。直感というのはまだまだ範囲が狭い、と僕は思います。輪廻転生を徹底的に信じ切らなければ、アカシック・レコードからの情報は得にくいような気がします。

それは誰もが経験できるはずなんですけれど、自分の中で、輪廻転生を否定して、できないんだって決めつけているからできないんじゃないでしょうか。そもそも「できない」とか、「できる」とか、自分で考えたり、判断したりする必要がないんですよ。僕はただ、出てきたものを書（描）けばいいと思っているから、そんなことは考えずにやっています。そこの違いだけじゃないかなと思います。

現実をコントロールしないで生きる

生前、黒澤明（映画監督）さんと話をしていて、ある作品のシーンが話題になったとき、「黒澤さん、あのシーンは、こういう意味があるんですか？」と訊いたんです。そうしたら、「そんなもの、意味も何もないよ。気がついたらそうなっていたんだ」。黒澤さんはそう言ったんです。気がついたらそうなっていた、と。じゃあ、それは誰がそうしたのか。他力か、自力かということになる。もしかしたら、他力的な力かもわからない。黒澤さんはそんなことさえも考えていなかったでしょうけれどね。

他力とは何かと言うと、阿弥陀《あみだ》如来。阿弥陀仏の慈悲の働きのことですが、もしかしたら宇宙かもわからない。あるいは死者の想念が創造を手伝ったのかもわからない。

諸仏諸菩薩の中心にいる大日如来の力というのは、宇宙原理なんです。万物の慈母であり、宇宙原理の核の部分です。それがすべて、この宇宙を形成している。あるいは人間一人の生き方、想念、そういったものを全部作り出している。その核になるのが、大日如来の力だと思うんです。

その大日如来の力に、我々がアクセスすればいいんです。そこにアクセスすれば、今度はいろんな情報がそこから流れてくるんです。

我々の情報というのは、ほとんどがテレビとか、ラジオとか、新聞とか、本とかで、偉い人がどう言った、どうしたということだけれど、そんな情報は大したことないんです。つまり、宇宙的な、大日如来の想念やエネルギーというのは、アカシック・レコードですから。アカシック・レコードにアクセスすれば、何もしなくても、ありとあらゆる情報がインスピレーションを通してドドドドドーッと入ってくるわけです。アカシック・レコードにアクセスするためには、輪廻転生の理解がないと難しいかな？　と思います。

死の世界は、そういう大日如来的な他力の力で統制された世界かもしれないなと思うわけです。こちらの世界はおそらく、大日如来の力が届いていないんですよ。

今は、ＡＩという人工知能が出てきていますよね。あれはアカシック・レコードと直接コンタクトができないから、ＡＩのようなシステムを作って、それがアカシック・レコードの代行をしているわけです。でも、そんな世界はちょろい世界なんです。

昔の人は宇宙なら宇宙を、たとえば、大日如来なり、阿弥陀仏なり、そういうものに仮託して、理解を広めようとしたんじゃないかと思うんです。

だから、僕の場合、他力本願で、自分の運命に何となく任せているような気がするんです。運命というのか、自分に与えられた何か。何かというのは、運命かもわかりません。それに、あぁ、そうですかと言って従うのが、ある意味で一番生きやすいんです。

ところが、今の世界は、そんなことをしていたら振り回されてしまう。取り残されてしまう。だから、自力でもって、運命を切り拓きなさいって言うわけです。

しかし、運命を自力で切り拓こうとすると、そこに人間の欲望が絶対に関わってくるんです。その欲望のために、自力が全部うまく生かせない。操作も制御もできないから、ダメになってくる。そんなことになるくらいだったら、むしろギブアップして、「はい、どうぞ、お任せします」と他力化してしまったほうが、よっぽど生きやすいと僕は思うんです。でも、大方の人は、お任せなどしていたら、とんでもないことになると考えてしまうんでしょうね。

期待しない考え方もあると思うんです。「なるようになる」という生き方は期待を手放した生き方ですが、これが意外といいのかもしれませんよ。目的や結果ばかりを気にする人には無理でしょうけれど。

ＡＩは究極の反自然主義

不死という考え方があります。これから科学技術の進歩で、クローン技術、あるいは冷凍保存のような技術が発達して、本当に不死が実現する未来があるのかもしれない。けれど、そういうのは自然に反した行為じゃないですか。仙人にでもなるようなつもりで厳しい修行をして、不死を目指そうというならともかく、科学でもって死なないようにするわけでしょう。

これはまず、魂という存在を否定しています。魂を信じていないから、そこには霊性なんて存在しません。長生きしたとしても、それは科学の力で長生きさせてもらっているわけですからね。そういうのは相手にする必要がないと思います。

それは結局、人間の生命や尊厳を侮辱する行為なので、いくら科学がそれを達成したとしても、死後の世界では評価されない。宇宙の摂理からも外れていますしね。宇宙の摂理から外れた者はやっぱりどこかで、それなりの責任を負わされるんですよ。誰が責任を負わせるのかというと、宇宙的な摂理がたぶん、行うんだと思います。

最近はＡＩの進化形であるチャットＧＰＴが大きな話題になっていますが、霊性とか、霊格とかっていう考え方は根拠に入っていません。無視して、そんなものはないもののように考えている。そのうえで、豊かな才能を作るのはＡＩだと思っているわけです。

たとえば、将棋の名人もＡＩには勝てない。また、ＡＩから多くを学んで棋士が勝ったとしても、それはＡＩ的頭脳が勝ったわけです。しかし、勝った人の魂が、霊性や霊格にどう関与したかは別問題です。そもそも、霊性、霊格にとって、勝つ、負けるというのはテーマじゃないんです。

しかし、ＡＩによって、勝つ、負けるといったことが一層際立ってくれば、人間はどんどんどんどん、霊性、霊格から外れていって、野蛮な存在になっていくかもわからないですね。

ＡＩをはじめとする科学技術の進歩によって、人間は魂、霊性、霊格といったものから、これからますます離れていくと思います。離れていくだけでなく、すごく大事なことを喪失していっているんだと感じます。

空っぽの世界

神秘主義というのは、何らかの方法により絶対的存在（神＝宇宙）との合一を図ることによって、直接的な神秘的体験を得て、真理をつかもうとするものです。自己と死を同一化して、自らの死をも対象化する。結局、そこで同一化してしまえば、死は恐怖の対象ではなくなるわけですね。

以前は、そういう神秘主義的なものを自分なりにずいぶんと勉強したというか、そんな本ばっかり読んでいました。ＵＦＯやオカルティズムなんかも含めた精神世界に傾倒していったんですね。僕なりの「私」の探究です。

だけど、あるときから少しずつ、そういうことから自分が離れていきました。この離れた理由というのは、思想になるとつまらないからです。思想は知性だから。知性ではなく、魂が感知しなければ、僕という人間が実体化しないということです。観念だけで、実践を伴わなければ意味がないと思ったんですよ。

考えることから離れて、絵を描く行為を通して魂と直接対峙する必要がある。絵を通すことで知覚するしかないと思うようになったんです。

そうしているうちに、絵を描くという行為自体が、実は僕が死と一体になることと同じなんじゃないか、同一化しているんじゃないかっていうことが何となくわかりかけたんです。

それからは、神秘主義やオカルティズムといった本を全部、二階の奥の部屋に封印してしまった。封印した途端に、不思議なもので、それまで必死になって勉強して学んだことは全部忘れちゃうんです。その代わりに、今度は絵のほうに興味が移っていった。その時点で、死の恐怖が絵に対する関心に変わったような気がするんです。

ただ、死の恐怖を忘れたといっても、僕の中から完全に排除されてはいなかったと思います。なぜなら、その恐怖感が、どこかで絵を描く動機になっているようにも感じるからです。神秘主義的なものは僕の体の中に染み込んでいる気はするんですが、そうしたものを含め、ともかく僕に不必要なものは絵を描くことによって吐き出されていったわけです。

そうやって絵を描いていると、だんだん言葉で語れない世界に向かっているなと感じます。その結果、今、絵を描こうとするときは、頭の中を空っぽな状態にしてしまうんです。言葉とか、観念とか、そういうものを一切なくさないと、絵が描けない。そういう状態に近いわけです。

空っぽということは結局、脳が働いていないということですよね。それは死かもわからない。擬似死かもわからないですけれどもね。あぁ、これも、あんまり語り過ぎると、今度は嘘っぽくなってしまうんです。一つの概念になっていくから。

その擬似死状態が、実は絵を描かせる。何も考えないで、腕や手だけが勝手に動いてくれるんです。肉体の脳化現象です。指先に脳が移るんです。

子供時代は何にも考えず、好きな物事に熱中するじゃないですか。絵を描いているときは、あれに近いことが起こっているなという感じがします。だから、そこには死の恐怖が入り込まないんだと思いますね。死の恐怖なんて考えていられない。死んでもいいじゃないか。生きてもいいじゃないか。どっちでもいいじゃないか。そういう、ちょっとラテンっぽい感じになってくるんです。

無邪気とか、無心とか、無垢とか、そういう言葉は、皆「無」っていう字が入りますね。ないということは、存在がないわけだから、空っぽということです。「無」じゃなく、「空」なわけです。

「空」の状態というのは、非常に死に近いんじゃないかなと思うんですね。死んだときというのはたぶん、そういう空っぽな状態なんじゃないでしょうか。

空っぽな状態で死ねればいいのですが、言葉や概念をいっぱい詰め込んで死ぬと、現世を抱えて死ぬことになるわけです。そうしたら、死んだときに、今度は現世への執着から苦しむと思うんです。なぜかと言うと、肉体がないくせに、生きていたときの執着心だけを持って死んでいるからです。現世では肉体があるから、その肉体による行為を通して、解決できるものは解決できますが、死の世界ではそれができない。

だから、死ぬときに一番いいのは、何の執着心もなく、頭の中、心の中を空っぽにしてアホ状態で死ぬことだと思うんです。死んでから必要なものはすべて記憶していますから、それ以外のことは忘れていいのです。

空っぽの世界には、目的も、屁理屈みたいなものもないわけですね。つまり、大義名分のない世界です。

我々は、何かのために何かを行うという大義名分が常にある。理由が必要です。だから、本来はそういうものを全部排除した生き方が一番生きやすいわけです。無為という言葉と有為という言葉がありますが、無為の状態が一番いい。

無為は何も介在しませんが、有為はありとあらゆるものが介在してきます。何かうまくやらなきゃとか、何かの役に立たなきゃとか、いろいろなものが息つく暇もなく介在してくる。そこから、悩みとか、苦しみとか、執着とかが生まれてくる。当然、そこには自我がある。それが自分を苦しめる種になっていくわけです。

ところが、空っぽの状態には個人がない。あるのは普遍的な個しかない。

死んで向こうに行くとき、こちらの意識をどのくらい捨てていけるか、置いていけるかどうかなわけです。あまり捨てることなくたくさん持っていくと、かなり大変だと思うんです。

「自分は何者でもない」と言うアンディ・ウォーホル

空っぽになるためには、空っぽじゃない体験をしないとダメなんです。

僕は禅寺に行って、座禅をしたことがあります。そうすると、座禅をした途端に、頭の中に雑念がバーッと次から次へと去来するんです。

とにかく、ものすごい数の雑念が来るんです。座禅をしている真っ最中に、子供のころのこととか、今のこととか、将来のこととか、時制を超えて、ありとあらゆることが浮かんでくる。

老師は「雑念にとらわれるな」って言うんです。「何かが来ても、それにとらわれたらダメ。雑念を放っておきなさい。流しなさい」と。しかし、流すとまた、次が来る。それにも「とらわれない。流しなさい。流しなさい」と言われて、全部流すんです。そうしたときに、ようやく空っぽになる。空っぽになったら、僕の場合は、向こうから光がバーッと来たんです。

そうするとまた、その老師が、「そんな神秘体験をしたからって、それは魔境だ」と言うわけです。「魔境にとらわれるな。そんなもので喜ぶな」「それも無視しなさい。とにかく、捨てろ、捨てろ、捨てろ」と言う。そのうち、自分に対して、面倒くさいわ、もう勝手にしろみたいな感じになってくるわけです。そうなったときに、突然クリアーになってくる。急にパーッと開けた感じになる。こうした体験を通してわかるのは、頭にいっぱい詰め込まないと、逆に空っぽにならないということです。

アンディ・ウォーホル（アメリカの美術家、ポップアートを世界的に広めた）が、「自分は何者でもない」というような言葉を残していますが、あれも空っぽということにどこか繋がるような感じがします。

彼と二度目に会ったときですが、アシスタントに案内されて部屋へ入っていったら、テーブルに腰掛けて、足をブラブラさせて新聞を読みながら、コーヒーカップを片手に、耳と肩の間に電話の受話器を挟んで会話をしているんです。

それが僕に対する彼の演出なんですよ。「俺はね、ビジネスマンだよ、画家じゃないよ」と言わんばかりのポーズを見せる。「実は俺の中には何にもないいんだよ、空っぽだよ」みたいなことをアピールするんです。

僕がアーティストだということを知っていて、わざとやる。それがもう、彼の一挙手一投足に全部出てくる。芝居がかっていて面白いんです。

アシスタントが、大きなキャンヴァスを隣の部屋からずるずる引っ張り出してきて、ウォーホルの目の前に置くわけです。そして、「あなたはこのように指示しているけれど、これはこれとこれを入れ替えたほうがいいんじゃない?」って、自分の意見を言う。アシスタントがウォーホルに言っているんですよ。そうすると、ウォーホルはちゃんと聞いているのかわからないような面倒くさそうな感じで、「あ、そう、君はそう思うの? それじゃあ、思った通りにやったら?」って言い返すんです。それを聞いて、アシスタントが「サンキュー!」って言いながら、また、キャンヴァスを引きずって向こうへ行く。そのやりとりを僕に見せるんです。いったい誰の作品を作っているんだい？　と問いたいです。ウォーホルは、「創作ってこんなもんだよ、俺は頭なんか使わないでこんなことパッパとやってんだよ」というのを見せたいわけです。「絵なんてこんなもんだ。自分で考えなくてもアシスタントの才能を利用すればいいんだよ」と。実に子供っぽい。

一種の気どりなんでしょうけど、実際にそうして作っているんです。だから、シルクスクリーンなどあれだけ多彩な作品がどんどんできてしまうところはありますね。これは技術でも、才能でもない、彼の生き方です。

人の本音に透けて見える「魂」

死んだら本当に無になるのか、それとも無にならないのか。そのことを誰もわかっていませんが、願望としては、無であってほしいというのが、大半の現代人です。無にならないとなると、死んだ後、閻魔大王の面前で今までやってきた自分の行為が洗いざらいバラされてしまう。そんな恐ろしいことはない。だから、死んだら無であってもらいたい。何としてでも無であってもらいたい。繰り返しになりますが、これは現代人の願望だと思うんですよね。

石原慎太郎さんと瀬戸内寂聴さんが対談したとき、石原さんは「最近は、死は虚無であるという根拠が初めてわかった」みたいなことを言っていらした。でも、その根拠は何だということは説明していません。ただ、どうあっても虚無だ、というわけです。

つまり、虚無って言いたくなるほど、人は自分の一生の中でそんなに立派なことをやっていない。秘密が山ほどある。でも、死んで虚無だったら、カルマの解消なんて必要ないわけです。

もし、死後の世界で、その人が生きていたときの評価が判定されるということになると、閻魔大王が文字通り閻魔帳をバーッと見せながら、「おまえ、ここで、こんなことして、こんな悪いことしてるじゃないか!」と言う。別に犯罪じゃないけれども、「アレコレといっぱいしでかしてるじゃないか!」「おまえ、ここで嘘ついてるじゃないか!」となる。そんなのは嫌だから、虚無と言いたいわけですよ。閻魔大王というのは、自分の心の中に存在しているものだと思うんです。だから、まったく隠し事ができない。そりゃ怖いですよね。

僕もできれば無と言いたいです。言いたいけれども、無と言ってしまったら、魂の否定でそれで終わりですから。そうじゃないんだということを、もう一度、見つめたいなというところからも、無とは言いたくないんですね。

先に話した、河合隼雄さんの中にも、魂という言葉はきっとあったと思うんです。学会の中では立場上使えないというだけの話で、河合さんが公の個人から私の個人に戻られた場合は、「やっぱり魂ってあるわな。説明できへんけど、やっぱりあるで」みたいなことだと思うんですよ。そこで、自分の職業を肯定するために魂の存在を否定する発言や行為をする知識人もいっぱいいるはずです。

たとえば、お葬式に参列するでしょう。そこで故人に向かって、弔辞を述べる人がいますね。そうすると、「そのうち、俺もそっちへ行く。そのときにまた、酒でも酌み交わそうじゃないか」なんて、エライ作家の先生や大学の教授がバカなこと言っているんですよ。何だよ、普段言っている唯物論と全然違うじゃないか、矛盾しているじゃないか、となるわけです。

けれども、そういう席ではふと本音が出るような気がするんですよ。

普段から、唯物論者で、死んだら無だと思っている人が、葬式の場ではどうして突然魂の存在を認めるのか。「そんなものはない」と言っている人間が、こういう場ではころっと変わってしまう。

同じ業界で亡くなった人がいたとしたら、「先に亡くなったAさんと最近亡くなったBさんが、今ごろは天国で一緒に酒を飲んでいるんじゃないか」なんて言っていることもあります。でも、そのような言い方をしても、参列者は不思議と納得するんですね。けれども、これは大学の教室で言ったら誰も納得しません。それこそ、「おまえ何言ってるんだ！　死んだら無に決まっているじゃないか！」と、学生の側から批判が出るかもわからない。でも、葬式の席では立派な仏教徒になってしまう。結局、本音と建前を場に合わせて変えているということです。

脳は嘘をつくが、魂は嘘をつかない

脳は理性を司《つかさど》っているので、人の身体の中でもっとも偉い存在であるかのような見方をされがちです。でも、脳が一番偉いわけではありません。もっと偉いのはその人の霊性であり、魂なんです。そちらのほうが上なんです。

魂というのは脳に属しているのか、肉体に属しているのかと言うと、肉体の側に属しているんです。なぜか。肉体も魂も嘘がつけないんです。脳は感情に左右されていて、嘘をつけますから。

我々のこの社会では、道徳の基準に触れるか触れないかで、やっていいこと、やってはいけないことを分けています。

ところが、霊性や魂のレベルになると、そんなものはもしかしたら否定されるかもしれません。それよりも自分自身が、本性という本能に近いもの、それはイコール魂かもわかりませんが、その魂に従った場合は、道徳、倫理といったものはまったく無視した行動を起こせます。

でも、現実にそんな行動を起こせないのは、社会という名の見張り番がいるからでしょう。社会というのは、何か警察みたいなところがあるんですね。

だから、僕は、それが個人をどんどん小さくして不自由な存在にしてしまっていると思うんです。もっと思い切ってやればいい。本当に自分の求めているもの、したいことをすれば、人が何と言おうが、自分にとってそれが正しい。あるいは正しくないかもわからないけれど、それをしたければ、するべきだと思うんですね。そういう正直さが積もり積もって、霊性というものを高めていくと思うんです。嘘を言ったり、忖度みたいなことをしょっちゅうやったりしていると、霊性はどんどんどん低下していくでしょうね。

霊性は、すべての人間にあると思います。ただ、それを発揮している人たちはものすごく少ない。社会的に生きていこうとすると、霊性を抑えたほうが生きやすいですからね。

そうなると、死んだ後が怖いってなるわけですが、じゃあ、閻魔さんはどこにいるんだと言うと、さっき言ったように、僕は一人ひとりの人間の中に閻魔さんがいると思うんです。死んだ場合、本当に閻魔さんが現れるかどうかはわかりません。その現れた閻魔さんは、実は自分が作り上げた、怖い怖い怖いと思っている概念としての閻魔像かもしれませんよね。

たぶん、そういうものが抽象化されて、閻魔大王になったのかもわからない。だから、それって、たぶん、自分の中にいるものが具現化されている。だけど、自分の中の閻魔像と対峙したときに、「そんなもんへっちゃらだ！」って言う人も中にはいるかもしれませんが、やっぱり怖いなとほとんどの人間は思うんじゃないですか。

なぜ、僕は死後の世界の存在を認めるのか

僕はなぜ、死後の世界の存在を認めるかということを話す必要があります。論理的に説明する自信はないですが、感覚的には「死んだら終わり」というほうが納得できません。人生のたかだか百年の短い時間の中で、人間は完成されません。ありとあらゆる経験を体験するためには、すでにお話しした輪廻を繰り返す必要があります。次々と環境を変え

るためには、現在の肉体を捨てて、次なる肉体によって、新たな未知を体験するためにも、一度死んで、転生を待機する死後の世界が必要になります。

死後の世界は何層にも分かれており、その人の霊格によって、それぞれの階層に死者は配置されることになります。そして、それぞれの修行の結果、死後においても、霊性の高い者は上階に行き、低い者は下の階層に落ちることもあります。

大半の霊は、最初に行った場所があまりにも地上と酷似しているので、死の意識に乏しいのですが、やがて時間の経過とともに自己の死を認めることになるでしょう。

死後の世界は、ひと言では言い表せないほど複雑な世界でもあります。

肉体は死と同時に焼却され灰になる。肉体が消滅して脳がなくなれば、思考もなくなる。だから、死後など存在しない。こういう考え方をするのは人間を物質として捉えているからです。心や精神、魂までもが脳の作用と考えています。

輪廻転生についての僕のヴィジョンを前に語りましたが、輪廻転生は死後生そのものを証明しています。死と同時に、魂も死の世界に移行します。肉体の存在はなくなっても、かつての肉体は記憶として向こうでヴィジョン化するはずです。肉体の死は同時に、向こうでは魂の誕生になるんじゃないでしょうか。

現世での未解決な問題はそのまま向こうへ移っていくと思います。向こうは肉体がないだけに、ものすごく意識がクリアーになるはずです。そのクリアーな意識によって、現世ではわからなかった自分が、向こうではよりはっきり見えて、自分が解明されると思います。

そして、もう一度現世に戻って、今度こそは自分を完成させたい、悟りたい、そのために、そろそろ転生してもいいかなと思う時期がやってくるはずです。その時間は、個人差があるので一概には言えません。

こうしてもう一度、現世に戻りますが、性別が変わったり、時代や国が変わったりするかもしれません。それを誰が決めるのかはわかりませんが、たぶん、本人が決めることになるんじゃないでしょうか。

死から生を眺める技術

僕も、この本を読んでいる読者の方も、もちろん現世にいます。そのうえで、死んだと仮定するわけです。そうしたら、死の世界から、この現世を眺めることになるわけです。このように、死の側から生を見ることの意味をあらためてもう少し掘り下げてみたいと思います。

この現世は、一〇〇パーセント完結された世界かどうかというと、向こうから見た場合、すごく未成熟な世界だと思います。いろいろなものが、ややこしくグチャグチャになっていて、一種のカオス化したのが現世です。我々は、生きているときに、そういう概念でこの現実と対峙したほうがいい。だから、そのためにも、死んだと仮定して、死の側から生の側を眺めるということがもっとあっていいのです。

たとえば、人間には五欲（食欲、睡眠欲、色欲、財欲、名誉欲）があります。死んだら、五欲はなくなります。持っていたって意味がないなら、こちらの生の世界でも自分の欲望は何も必要ないんだという考えでいれば、どういう生き方ができるかということなんです。それが、死から生を眺めるということです。

それをこちらの世界でどこまで実践できるか。でも、歳をとるとともに、欲望のいくつかは自然消滅していくことがわかったんですよ。欲望に関して、まず、色欲とか、名誉欲とか、財欲とか、そういうのはまず、老齢とともに自然に消滅していくものです。そして、それに代わって、自由がその座を占めるんです。

けれども、大方の現代人には、向こうからこの世界を眺めるという視点はどうもあんまりなさそうです。今の生の延長に死があって、そこでもう終わってしまっているんです。向こう側の死後の世界へ行く前に壁が立ちはだかっている。

死んだと仮定して生きると、今までとまったく違う生き方をせざるを得なくなってくるんじゃないでしょうか。

自分の死や、自分が死んだ後の世界ということについて、大方の人は触れたくないわけです。それこそ無ということにして否定してしまいたいわけです。考えたくない。ということは、逆にこちらの世界がロクな世界じゃないということが何となくわかっているんじゃないかしら。つまり、向こう側から見た場合、現世でやってきた数々の行為や思考、そうしたものは間違っていたと自分自身で思いたくないんですね。

現代社会は常に、ゴールとか、目的とか、意味とか、あるいは生産性とか、そういったことに価値を置いています。たとえば、「その考え方は建設的じゃないからダメだ」って否定されてしまう。

そういう成果主義的な価値観を、小さいころから親や学校から、あるいは会社に入ってからも、ずーっと求められて生きている人が大半だと思うんです。

死ぬとまず、肉体がない。そこにあるのは、自分の想念だけです。じゃあ、想念っていうのは何なんだと言うと、連綿と転生を繰り返している人間の魂だと思うんです。

魂というのは、嘘も偽りもない。すごく純粋で、透明なものじゃないですか。じゃないですかと言うのも、変ですが、そういう実感が、死と同時に湧くと思うんです。そうしたら、その世界と現世とはどう違うんだということになります。向こうは相対的な、非物質的な世界です。現世というのは、名誉とか、地位とか、財産とか、そういう物質的なものが絡まった、ものすごく唯物的な世界です。

だけど、死んで向こうに行ったら、そういったものなんて何の役にも立たない。こちら側の世界を、死後の世界から見れば、何にも役に立たないことに我々は執着しているということがわかる。

誤魔化したり、嘘をついたり、騙《だま》したりまでして、ちょっと得したいとか、うまくやりたいとか思っている人もたくさんいます。しかし、そういった執着や欲望は人間の成長の妨げになります。執着の強い人は、死んだら幽霊になりかねません。

死んでから、こちらの世界が役に立たないことに執着している世界に見えるなら、こちらの世界にいるうちに、その執着を捨てたらどうかということです。捨て切れないまま向こうへ行くと、すごい虚無に襲われると思うんです。だから、そうしたものを捨ててしまえば、楽な生き方ができるんじゃないかと思いますね。とはいっても、きれいさっぱりと余計なものを捨てて、透明になって、向こうへ行く人などそうたくさんいません。こちらの世界は煩悩まみれの世界です。また、そういうことが肯定された世界です。そんな世界からいったい、何人が抜け出して涅槃へ行けるのでしょうか？　だから、そのために、何度でも往復ができる輪廻転生というシステムがあるのです。

第四章　死への準備

目と鼻の先にある死

僕は老年期の真っただ中にいますから、当然かもしれないけれども、何となくではあっても、どうしても自分の生存時間を考えます。あと何年くらいなのかって。もしかしたら、来年か、再来年か。九十歳まで生きるといっても、あと三年もないですからね。

そう考えると、やっぱり死というものが、目と鼻の先に迫ってきているという感じはあります。そこで、これは死と関係あるかどうかわからないけれども、ある意味で、自分から離れることも年齢とともにある程度できるようになるんです。

これまでは自分の個人的なことでがんじがらめになっていたり、あるいはそういったことから抜けられなくて、悩みを作ったりしていたのが、歳とともにそういうものが不必要になってくるんです。好奇心とか、社会的関心とか、個人の地位とか、名誉とか、財産とか……。そういった願望や執着がどうでもよくなってくるんです。

墓場には何一つ持っていけないですからね。もちろん、持っていけないことは若いころ

《TADANORI YOKOO》
1965年。ニューヨーク近代美術館蔵

からわかっているんだけれども、現実に死が迫っていないから、そこまで真剣に考えないんですよ。ところが、八十七歳にもなってくると、やっぱりそれがすごい現実の問題になってくるんです。

最近は、友だちが死のうが、誰が死のうが、もう昔受けたほどのショックはないですね。あぁ、死んだか……という感じです。こちらが鈍くなってきたからなのか、それとも具体的な肉体の終わりが近づいてきたからなのかはわからないけれど、そんなに驚かなくなってきました。死は特別なものではない。万人に平等に与えられたものとして実感されてくるんですね。

そうなって、解き放たれる部分はかなりある。その辺がちょっと、僕自身もそれをはっきりと言葉にできないような、非常に中途半端な感じでもあるんです。

たとえば、ガンか何かに罹っていて、それで死期が迫っている、余命何カ月とか、何年とか、すでにカウントダウンが始まっている患者がいるとします。そういう人と、ただ単に、僕みたいに八十の半ば過ぎでというのとは、ちょっと違うと思うんです。

あるお医者さんが、ガンになった。そういう告白の手記を読んだんですね。その人は、これまでお医者さんとしてガン患者を救ってきたのが、今度は自分が病気に罹って救われる立場になってしまった。すごく悩んでいるんです。

だけど、そういうものを読んでも、僕はガンを患っているわけじゃないので現実感がないんです。ガン患者の方が読むと、すごい現実感があると思うんだけれど。だから、何とも言えない複雑な年齢というか、境遇にいるなという感じはあるんですよ。

こういう話はそう簡単に要領のいい文章にすることは難しいし、ましてや、ある意味、未経験な中で語る部分というのは多分にあります。

まぁ、それはそうとして、興味の一番の対象は死んだらどうなるのか。生の先はもうなくって、そこが虚無な状態で終わりなのか。あるいは、その先があるのか。そこが大問題になってくるわけです。僕くらいの歳になると、この先、あるのかないのかというのは、観念的な文学とか、哲学とか、そんな感じじゃなくて、現実的に迫ってくると思うんです。

「年相応」でなく、曖昧に生きる

僕はこれまでに何とか宣言というのをたくさんしてきたんです。最初に「死亡宣言」（一九六七年）。それから「休業宣言」（一九七〇年）というのがありました。「画家宣言」（一九八一年）もそうですが、七十歳になったときには「隠居宣言」（二〇〇七年）をしています。もう宣言屋さんみたいな感じです。

アンドレ・ブルトン（フランスの文学者、シュルレアリスムを創始）が『シュルレアリスム宣言』（一九二四年）っていう本を書いたでしょう？ あの宣言が僕はすごく気に入って、それからけっこう、宣言という言葉をよく使うようになったんです。今度は「空っぽ宣言」でもしますかね。宣言というのは未来を引き寄せることです。

話は変わりますが、よく日本人は「年相応に生きなさい」みたいなことを言いますよね。自分は自分なのに、自分らしく生きるよりも年相応であるべきという社会のルールは僕には何だかわかりません。だから、それに従えと言われても、その意味がわからないから従いようがない。やっぱり、自分の生き方に従うしかしょうがないと思うわけです。それが、他の人からは自由に見えたりしているのかもしれません。

ものには境界線がありますね。たとえば、生と死の間の境界線もそうです。僕は何でも境界線が好きなんです。だから、境界線とは白黒をはっきりさせた境目ですが、白と黒の間には灰色がありますね。その灰色の部分が好きなわけです。

『横尾忠則遺作集』（學藝書林、1968年）

今、絵を描いていても、これが絵なのか、デザインなのか、別のものなのかはわからない。その境界線のグレーのゾーンがすごく好きなんです。

そうすると、生と死の間もまた、灰色になります。灰色は白と黒を両方共有していて、その灰色をポッと超えると、まったく違うところへ行くわけです。どちらにも属して、どちらにも属さない。その曖昧さがいいんですね。すなわち、中途半端な状態が一番好きなんです。「年相応」という考え方には、この灰色の曖昧さが感じられません。

曖昧さが好きなのは、楽だからです。どちらかに決めつけてしまうと、生きづらくなるじゃないですか。どっちでもいいというのが一番楽です。結局、僕はずっと自分の楽な道を選んできたような気がするんです。楽じゃないことは、どこかで無理をしているということで、それがたとえ大きな利益をもたらすことがわかっていても、後々全部負担になってきますから。とにかく、自分にとって楽であるということが大事です。

日々絵を描いているアトリエにも、内があって、外があって、内と外との境界線に当たるベランダがあります。このベランダは外なのか、それとも内なのか、どちらに属しているのかと言われた場合、どちらか一方に属しているとは言えないわけです。建物にも属しているけれど、外にも属している。

そういう場所が一番好きなんです。だから、僕はよくそこへ出て、外を眺めながらぼやーっとしているんですけれどもね。そういう中間、中途半端が心地《ここち》好《よ》い。

若いころ、デザイナーの先輩に「白黒はっきりしろ！」と怒られたんですが、それと反対ですね。はっきりした線をつけて自分のことを区切るような生き方は苦しくてできません。すべてに関して、計算した生き方に対して、僕は曖昧ですね。曖昧な状態で、気分でものを決めていくのが一番生きやすいんです。

「終活」なんてどうでもいい

近年、人生の終わりを見越して行う「終活」なるものが巷間《こうかん》を賑《にぎ》わせています。死を前提にして、いろんなものを自分なりに整理し、残される家族にできるだけ迷惑をかけないようにする。つまり、不要な物を捨て、後で揉《も》め事《ごと》が起きないよう遺書を書く。

「終活」という活動はそういうことなんでしょうけれど、これも言ってみれば、年相応に生きるという〝常識〟から出てきたような言葉だと思います。もうこういう歳だから、生前整理しておこうよみたいな考え方ですね。

自分のお葬式なんかでもね、僕は別に出してもらいたいとは思いません。けれど、遺族が出そうと思ったり、友だちが何かやろうと思ったり、そういうのだったら別にやってもいいとも思いますが、要するにどっちだっていいんです。だって、僕はそこにもういないんですから。

死後のことまで全部いろいろと決めて、それで逝くってしんどい。死んでからもまだ、現世を自分の好みで支配するなんて執着以外の何物でもないでしょ。だから、僕は自分の葬式はまったく考えたこともありません。残った人間が何かやればいいわけですから。おそらくうちのかみさんも、大勢の人を集めた葬式みたいなことは何もしないでしょうね。内輪でひっそりやればいいんです。

死んだらどうするかなんていうことは、閻魔大王、自分の中にいる閻魔大王が決めることで、誰かが決める問題じゃないと思います。全部、一番すべてをよく知っている自分の中の本体が決めるわけですから、厳しいといえば、厳しい。

死はもちろん、悲しいです。だけど、ときには、死が笑いの対象になる瞬間もありますね。ある意味で、死って、滑稽なものかもわからないです。

こういう話があります。

以前、僕の高校のときの英語の先生が戦時中、軍隊にいたころの話をしてくれたことがありました。四列縦隊になって、タッタッタッタッタって歩いたときの逸話です。夜間の強行軍で皆、睡眠不足で疲れていたみたいで、うつらうつらしながら行軍していたんです。

そのとき、敵が狙撃してきて、真ん中で歩いている人の頭にボーンと弾《たま》が当たった。そうしたら、その人が「まるっきり」とひと言言って、死んだ。実は軍隊の中で「まるっきり」という言葉が流行っていたらしいんです。その人の頭へボーンと弾が当たった途端に、「まるっきり」と言って死んだ。これって、不謹慎かもしれませんが、おかしいじゃないですか。

人間は、どこかに滑稽さを抱えて生まれてきているんですね。おかしなことをしたり、おかしなことを言われたりというのも、これも一つの生きていくプロセスとして、すごく大事な気がします。

要するに我々は、何で生まれてきたかというと、遊ぶために生まれてきたんです。仕事をするために生まれてきたんじゃないんです。

仕事でも、その仕事に遊びの要素がないと意味がないわけです。そういう意味で、すべては遊びのために生まれてきていると考えれば、人生はもっと面白いかもわからない。死ぬことだって、遊びのために死んだっていいわけですから。

だから、生まれてきた以上、できるだけ楽しむというのが大事です。

三島さんが市ヶ谷の自衛隊のバルコニーに隊員を集めて、まるで演劇のような空間を設定しました。僕には究極の遊びに思えました。人生をドラマに仕立てた演劇的遊びです。三島さんの個人的な生活の中で、僕はいつも三島さんの一挙手一投足に遊びの精神を見てきました。だから、あの人騒がせな演劇的なパフォーマンスも遊びに見えたのです。死さえ遊びにすることで死を超克したのではないでしょうか。

運命に従って生きれば、そう間違えない

僕は、人と競争することに興味がないんです。そういう人間なので、二十歳を過ぎてから東京へ出てきて、競争社会に入っていくのですが、それがすごい辛《つら》かった。これまでを

振り返ってみると、十代の後半の生き方が一番いいと思いますね。ですから、そのころの生き方をもう一回やりたいな、と思ったりもします。

僕が自分の人生の中で何をやるべきかということは、卵子と精子の結合によって僕が生まれてきたときに、プログラミングされていると思うんです。そのプログラムされたものが、成長の過程で必要に応じてピュッピュッと出てきたわけでしょう。

僕の人生は、その必要に応じることに全部任せてしまったんです。だから、良かったんだと思います。

ただ、ときおり、それに抵抗した場合は、僕はたいてい大病を患うとか、大怪我《おおけが》をするとか、災難が起こりました。抵抗はしてもいいんですが、そこで、自分の欲をぶつけたらダメージがくるんです。何かを押し退《の》けてまで、あれがしたい、これがしたいというような欲望を持つと、僕の場合、全部ネガティヴなほうへいきました。

もちろん、僕と逆のやり方で成功した人はたくさんいます。いるけれども、その成功への道のりはおそらく、すごく大変だったはずです。人に批判されたり、騙されたり、お金をごっそり取られたり……。そういったトラブルやアクシデントに少なからず見舞われたんじゃないかと思います。

プログラミングされたものというのは、過去世みたいなものも、どこかで影響している……。その過去世の結果が今生ですから。過去世が違う生き方だったら、違う今生が待っていると思います。


生まれ変わっても、基本的に人間は人間です。だけど、人間の道を外した生き方をした人は人間じゃない動物になるかもしれません。といっても、相当の道を外さないとそうはならないでしょうね。人間としていられなくなるということですから。

肝心なのは、我々が今生で持っている倫理観とか、道徳観とかで判断したら間違うということです。あくまでも、どう生まれ変わるかは、それこそ閻魔大王の判断です。

ところで、話は変わりますが、先のWBC（ワールド・ベースボール・クラシック）や大リーグ（MLB）でも話題の大谷翔平《しょうへい》（ロサンゼルス・エンゼルス所属）選手は世間の評判通り、素晴らしい人だと思います。彼の礼儀礼節はアメリカ人には驚異でしょうね。誰もが彼を尊敬して、彼にあやかりたいと思っているはずです。彼がグラウンドのゴミを拾ったことが話題になりましたけれども、そのことで何か美化した自分を訴えているわけじゃない。ただ、ゴミを拾う。それは陰徳を積んでいることになるんですね。陰徳を積んだ人間と陰徳を積んでいない人間は、このようなことで差ができてくるわけです。

たとえば、どこそこに寄附しました。それを新聞社に電話して、目録を渡すところをカメラマンに撮らせるような著名人がいます。あれはもうまったく、陰徳にならない。自己顕示欲の表れで、もしかしたら、やらないほうがいいかもしれない。下手をすると、来世で地獄に落とされかねない。まあ、これは冗談ですが……。

一方、大谷選手は、人に見せるためにそんなことをやっているわけじゃなくて、たまたまカメラマンが、そのシーンをキャッチしただけの話ですから。あれは陰徳なので運をどんどん高めていると思います。彼を見ていると、もう才能とか、努力とかっていう次元を遥かに超えているような気がしますね。

「彼は人間ではない」と言う人もいます。

レオナルド・ダ・ヴィンチ、ミケランジェロ・ブオナローティ、ラファエロ・サンティの三人はルネッサンス期に人間の世紀を創造するために天から降臨した魂ではないかとも言われてきましたが、時代の変わり目にはこのような天才が出現します。何かの役割を与えられて、天から降された魂かもしれません。

人格も含めて何もかもが素晴らしい人は、来世はなく、輪廻の輪から離脱した魂を持っていることがあります。大谷選手がそうなのかどうかは僕にはわかりません。生まれ変わることがない不退転者というのは数多くの転生を繰り返して、自己のカルマを解脱して、二度と肉体を有してこの地上に姿を現す必要がなくなった人ですが、その条件には霊性が高いということがあるかと思います。


運命は自分で切り拓かなければいけないというようなことが、教科書か何かの本に書いてあります。どこそこの偉い人がああした、こうしたなど、偉業が説明されている。けれども、社会や第三者にとってはそのように見えるかもわからないけれども、立派な人、何かを成し遂げた人というのは、出世したいとか、利益を得ようとか、そういうことが目的で努力奮闘したわけじゃないと思います。

それにもかかわらず、「出世したいんだったら、そういうことをやりなさい」と言う。

うわべだけ真似て、本質を汲《く》み取ろうとしない、あたかも成功術を教えるような教育に変わってくるわけです。

世間には「なるようになる」という表現があります。運命に任せて、運命に従っておけば、なるようになるわけです。ただし、輪廻転生を信じることが重要です。その運命を、「チャンスだ、よし、ここで頑張ろう」と力んだりすると、それはなるようになりません。

本来、運命というのは、それに従っている限りは、そんなに間違いはないと思うんです。

もちろん、人には運命によって定められたそれぞれの役割があります。いくら頑張ったって、誰もが政治家や一流のアスリートになれるわけではありません。人には、輪廻転生という過去世のカルマの結果、各々に与えられた仕事があります。それをやっているのが一番いいわけです。

ただ、ごく稀《まれ》に自分の力で運命を切り拓く人がいます。瀬戸内寂聴さんがそうでした。瀬戸内さんも「なるようになる」って、よくおっしゃっていましたが、生き方を見ていると、そうではないところがありました。なるようになるというのは、他動的で運命に従うことだけれど、瀬戸内さんは自力で、運命を切り拓いていったところがあります。つまり、なるようにさせているわけです。それは、自分の意思を介在させる生き方です。僧侶でありながら煩悩を肯定した人間主義的な生き方で、僕には理解できません。

人生は「未完成」でいい

僕は以前から「未完成」ということをよく言っていますが、僕がやってきた仕事も未完成なんです。だから、それを完成させるためにまた、転生するんです。

転生してまた、やるけれども、やっぱり未完成で終わる。それを繰り返しながら、最終的には不退転の世界に行きつく。

今、ここに生きている人間は、お坊さんも、哲学者も、科学者も、大学の教授も、全部ちょぼちょぼ（似たり寄ったり）なんですよ。悟っていれば、もはや生まれる必要はないわけで、現世に生まれたということはある意味、未完ですから。

本来は「完成」を現世で目指すべきだけれど、この短い生涯では難しい。だから、転生するんじゃないですか。

《T+Y 自画像》
2018年。個人蔵

やり残しがあると、それは執着になります。何一つ執着がなく死ぬのが一番健康的です。健康で死ぬために、僕は「やり残し」のないよう、やることは全部やって身軽になって、「ハイ、サヨナラ」と死にたいんです。

未完は別に執着ではありません。途中で投げ出しただけで、それはやり残しという執着ではありません。未完は完成することに対する批評みたいなものです。むしろ、完成させること自体がバカバカしいものです。

人間は未完で生まれて、完成を目指して、結局は未完のままで死ぬ。これでいいのです。完成されたものが美しいとは思いません。美というものは未完ゆえに美しいのです。そのような目で自然や人生を見たいと思います。未完成交響曲でいいのです。

「未完」というのは自分が行う評価においてそうなのです。ところが、本来自分がするべき評価を、いつの間にか社会がするようになってしまいました。そのために、自分のことを忘れて、社会にとっていい子になろうとするわけです。

自分のことは自分が責任を持って、何でもすればいいのです。

たとえば、社会に「それを食べたら病気になりますよ」と言われたって、それは社会が言っているだけなんですから。社会が言うことにはその背景に経済観念があって、金儲けのためにこれを食ったらいいとか、悪いとかって言っているだけかもしれません。社会が悪いと言ったって、食べたければ食べればいい。自分が食べたいものを食べるのはあくまで個人の意思だと思うんです。

我々はあまりにも、個人の意思をないがしろにしてしまっていると思いますね。

僕がいる、美術の世界で言うと、個人の内面の追求をするアーティストよりも、プロパガンダ的に今の世の中はああだ、こうだと批評するアーティストのほうがレベルが高いとされているんですね。評価されやすいんです。作品を通して、世の中を批評するという観念やコンセプトが偉大なんだと言わんばかりです。

アートは、そんなことよりもっと深い内面を見なきゃいけないと思うので、僕はそういう直接のプロパガンダをやりません。

もちろん、ロシアがウクライナに侵攻したことくらいはよく知っています。そういう世界の危機感は、体がひしひしと受けているわけですよ。

だから、わざわざウラジーミル・プーチンの顔を描いて「ノー！」なんて言わなくても、僕の戦争に対する感じ方や考え方が、自然とキャンヴァスに表れるわけです。その危機感は否応《いやおう》なく出てくるんですよ。寒山拾得みたいな絵を描いても、何を描いても、出てくるんです。

老年から始まる自由

僕なんかは死がもうそんなに先のことじゃなくて、わりと近くにあるから、若い人たちの死に対する考え方とはずいぶん違うと思います。

今、長寿社会とか、少子化とかが関係しているのかもわからないけれど、老いをどう生きるかといったことが注目されています。老いといえば、やっぱり死が身近にあります。だから、切羽詰まっている人もいると思いますが、僕の場合は目の前に死がちらほらすると、逆に死に対する恐怖というのは、あんまりないなぁと思うんですね。苦しんだり、痛がったりして死ぬのは嫌だけれども、そうでなければ、まぁ、悪くないいんじゃないかなぁと思うわけです。

死への恐怖は、つまるところ、やり残したことがあるか、ないかによって変わってくるんじゃないでしょうか。欲望と執着の度合いですね。やり残しという未完があってもいいと思います。それに対して執着がなければいいのです。

若いときはそんなことは考えませんが、もうこの年齢になると、本当にそういうことを強く感じます。


老年期は、死について考えるのにはいい時期なんだと思います。長生きして老齢に至って、そこまで生き続けないと気づかない、年寄りの智慧みたいなものがあるような気がします。

それはひと言で言って、やはり欲から離れていくということじゃないでしょうか。煩悩的なものは、もう持っていても意味がない。もう何にもいらないという感じです。そういう境地になればいいですね。

何にもいらないとなると、すごいことに、そこから始まる自由というのがあるんです。

特に若いときは、社会の制約を撥《は》ね退けることが自由だという考え方だったんだけれども、この年齢になると、自分がそれに振り回されていただけで、そんなものが自由かどうかということさえも興味がなくなるんですね。

さらに九十歳までいけば、もっと新しい経験を生むかもわからない。百歳になれば、また、百歳の境地というのがあると思います。ただ、ＡＩなんかに頼って、もっと上手に長生きしようなんて、そんな面倒くさいことはさらさら考えませんが。

ハンディキャップが生み出す可能性

社会は、老人になっても好奇心を持ち続けなさいって言いますが、僕は逆です。そんなもの、持つ必要はないんです。好奇心を持てば、そこに常に欲がついて回るわけですから。医者なんかも「ボケ防止の方策の一つとして、好奇心を持ちなさい」とよく言いますね。でも、考えてみてください。ボケを防ぐために好奇心を持てば、ますますボケになるんじゃないですか？　皆、せっせと苦労して好奇心を満たそうとして、その結果、ボケになっていっているわけです。

でも、ボケになるということは、いいことです。つまり、煩悩を生み出す自意識がなくなってくるということですから、素晴らしいと思います。自意識がなくなるなんてインスタント悟りと言ってもいいでしょう。

誰が言い出したか知りませんが、老化防止、ボケ防止に好奇心を持て！　みたいな考えは放っておけばいいんです。ボケた人間は自分なんですから、家族の迷惑など考える必要がなくなるわけでしょ。ときには大変かもしれませんが、介護が家族の務めとして、家族団結のきっかけになることもあると思います。

親の介護によって、人生の学びを経験させられ、そのことが、その人の業の解脱になるということも考えられるのではないでしょうか。

ボケが始まってくる老齢になると、脳以外にも体のあちこちにハンディキャップができるんです。そのハンディキャップは修正するんじゃなく、活用したらいいんですよ。

たとえば、僕の場合で言うと、耳が聞こえなくなってきています。目もどんどん悪くなっています。もう五感が全部衰えてきている。それに加えて、手は腱鞘炎《けんしょうえん》です。つまり、絵を描くためのありとあらゆる〝商売道具〟がボケてきたのです。ハンディキャップだらけの状態です。

でも、そのハンディキャップを活用すれば、今まで想像もしなかった作品が描ける可能性もあるんです。手が痛いから、面倒くさそうな絵は描けない。でも、下手だけれど面白いものが描ける。

作品のスタイルを変えようなんて思わなくても、体のハンディキャップが自然にスタイルを変えてくれるわけです。こんなに楽なことはない。変えようという意思が、だいたいにおいて作品をつまらなくさせていくわけですから、そんなことをしなくてもよくなる。もはや、僕はいい作品を描きたいなんて思っていないので、途中で止めたければ、そこが八十七歳の完成画です。

このようにハンディキャップがあることによって、この歳になって作風が変わってきたわけです。

「面倒だなぁ」と思いながら、右手が痛いときは、左手で描いています。そうすると、描線がもうあっちへ行ったりこっちへ行ったりします。目の前に、ここに点を置いたつもりなのに、三十センチも離れたところに置いているんです。

耳が聞こえなくなってきたのに加えて、目もかなり衰えています。本を読んでも、三ページ目くらいから霞《かす》んでくるんです。眼鏡屋さんへ行って、調整しても、そこでは見えるんですが、帰ってきたらもう見えない。聴覚、視覚以外の感覚までもがだんだん失われてきています。でも、僕は、それはいいことだと思っている。

漫画家の赤塚不二夫さんも、わざと左手で描いたという逸話があるようですが、それは自分を超えたかったんじゃないかと思います。あるところまで来ると自分じゃない力が欲しくなるんです。そう思ったときにおそらく、左手で描いたんだと思いますね。そうすれば、自分でなくなりますから。

赤塚さんのようなギャグ漫画は下手であれば下手であるほど、ギャグも生きてくるわけでしょう？　だから、左手で震えながら描いたほうが、もっとギャグらしいものができるんじゃないですかね。

そのことは、僕の場合もまったく同じで、できればもっとハンディキャップを活用しないとダメだと思います。

左手で描くと、まっすぐの線がブルブルブルってなっちゃうんです。でも、そのようにしか描けない。とにかく、それを肯定するしかしょうがないわけです。しかし、今までだったら、震わせて描かなきゃいけないのが、勝手に震えてくれるというのは、ある意味、便利です。そんな場所に自分が見えない力で引っ張り出されるみたいな感じがします。

自分が意図するところに線が入らない。それはおかしいんですよ。自分でも思わず笑っちゃうくらいに、滑稽なんです。だから、そこを起点にして、絵はどんどんどんどんおかしいものになっていく。おかしい絵を描こうとか、絵を変化させようとか考えなくても、体のハンディキャップが勝手にやってくれる。まっすぐの線がふにゃふにゃふにゃってなる。デッサンが狂うんです。そのデッサンが狂うということを表現と考えるわけです。

普通は努力して絵をデフォルメしなきゃいけないわけですが、この歳になるとわざわざデフォルメなんか面倒くさくてできなくなってくる。しかし、ハンディキャップが勝手にデフォルメしてくれるんです。ハンディキャップがたくさんあるせいで、僕の絵には予想もつかない面白い変化がこうして生まれているんです。

誰でもそうですが、歳をとるといろいろなハンディキャップが増えていきます。僕はたまたま絵という表現体を持っていますが、そうでない人だって、日常生活全部が表現の場と思えば面白いんじゃないでしょうか。

忘れることで輪廻する

できなくなることは歳とともにどんどん増えていくわけですが、それらを全部受け入れる。抵抗しないで、従う。僕はこれを自然体と呼んでいます。「老齢の自然体」で、すごくいいことだと思います。

できないことから新しい発見がどんどん生まれ、想像の範囲が広がっていく。発見しようという意思がなくても、結果として自然に発見に繋がっていくんです。

それは神からの贈り物かもしれません。

忘れる力が増すことも、できなくなることがいろいろある中の一つですね。言葉をどんどん忘れていくのを最近は実感します。一日にものすごい数の言葉が失われていくのが、自分でもよくわかるんです。今や、僕は完璧な忘却人間です。

つい先週まで浮かんでいた言葉が、今週になると、もういくら考えても出てこないことがしょっちゅうあります。だから、文章を書くとき、すごく困るんです。僕は、わからないところに○○と書いて、「ここはこういう意味のことなんだけど、熟語が浮かばないから調べてください」と担当編集者に言えば、調べてくれる。自分で調べようと思っても、手掛かりがないから字引の引きようがないんです。編集者は僕が入れたいと思っている言葉よりも、もっといい言葉を入れてくれることもあります。

人間は誰でも忘れます。そもそも覚えることよりも、忘れることのほうが圧倒的に多いのが人間と言ってもいいんじゃないでしょうか。自分の経験、知識のすべてを覚えている人なんて一人もいません。高齢者でなくても、若い人でも、たくさんのことを忘れているはずです。

覚えては忘れ、忘れては覚える。これが人生ではないでしょうか。どんどん忘れていいのです。そのほうが精神的にも健康です。

歳とともにこうやって忘れる力が増すということは、だんだん子供に近づいていくということです。子供って幼児語でものを言うでしょ。そうすると、大人が言葉を失っていくのは、だんだん幼児化していっているわけです。ボキャブラリーの数がうんと少なくなってくる。そうすると、実はものの本質に近づいていく。ということは、悟りに近づいていくことじゃないですか。そういうふうに解釈すれば、全然いいことだと思います。

子供は知識や経験が少ししかないけれど、非常に本質的な存在です。人間は大きくなるに従って、何かを得るのと引き換えにいろんなものを失って、本質的な存在でなくなっていく。そしてまた、最後は本質的な存在に戻っていくんですね。

それも一種の輪廻転生だと思います。この現実の中で起こる輪廻転生。時間も転生し、輪廻します。すべてが輪廻転生です。

人間関係も輪廻転生します。若いころはさまざまな付き合いがあっても、そのうち、自分に必要のない人たちが、だんだん目の前から消えていきます。しかし、同時にいろいろな新しい出会いもある。それも一つの輪廻転生です。

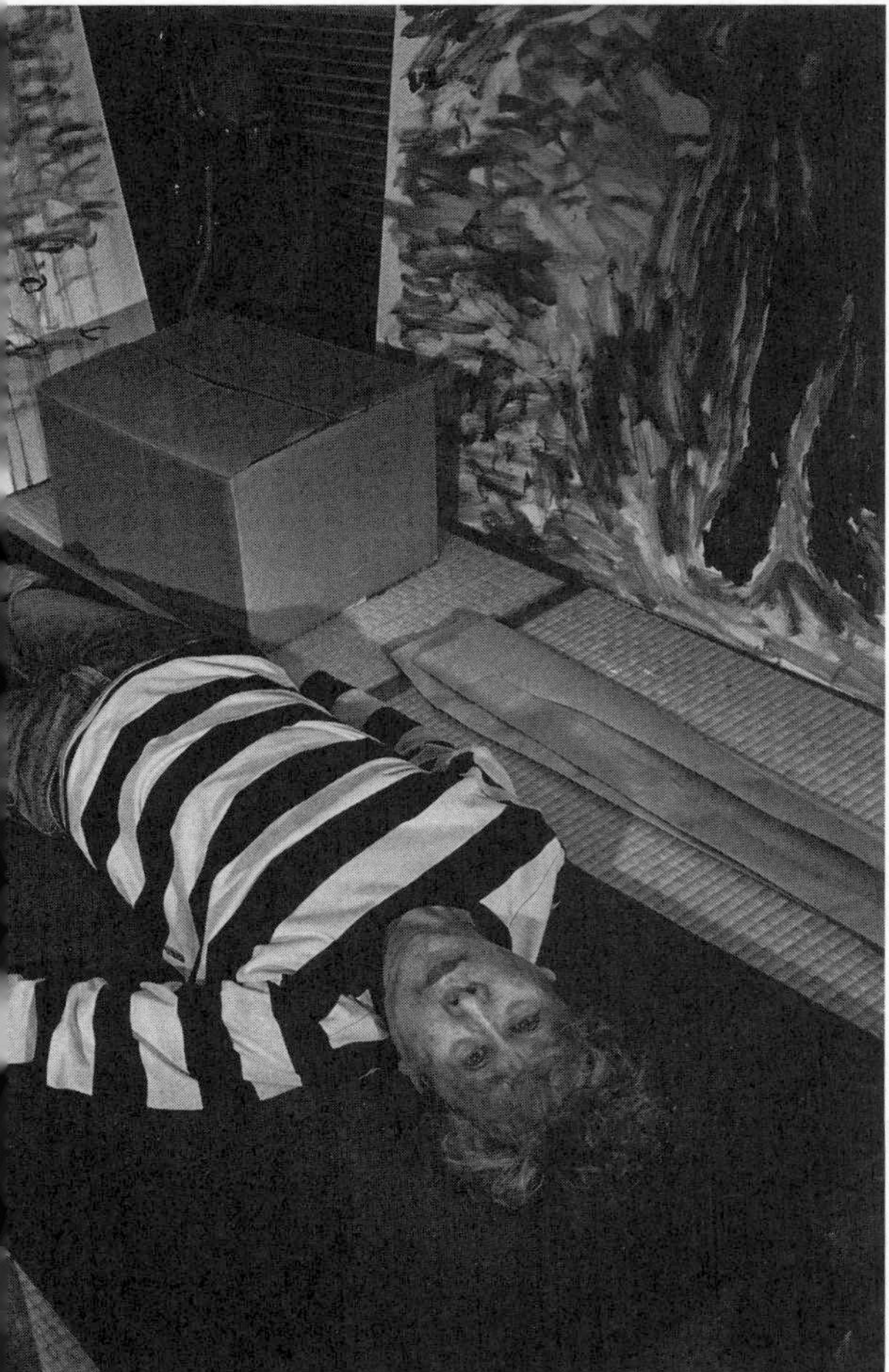

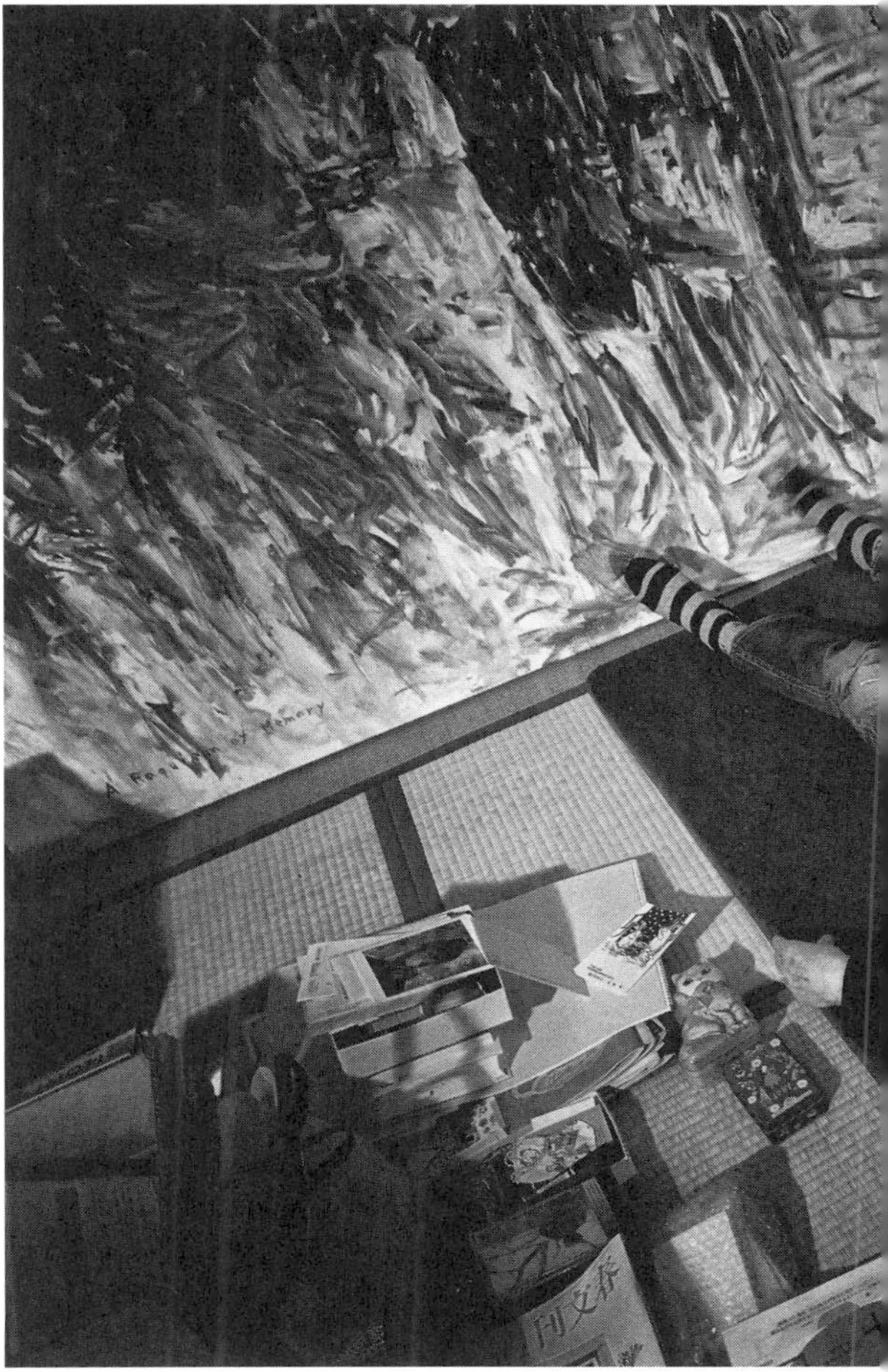

歳をとると、このようにあらゆるところに輪廻転生のような大宇宙の論理が生きていると感じるんです。

おわりに

ああ、しんどかった。死にとりつかれた何カ月であった。絵を描きながら死を想い、死を考えながら絵を描く、こんな生活が、何カ月か続いた。もしかして一年以上？

創作は自分の中の不透明なものを吐き出す作業だけれど、死について本一冊分語ったわけだが、死を言葉にすることで、自分の中の死も吐き出されたのかな？　それはともかく死を恐れる気持ちはいつの間にか薄められたような気もする。本書の進行途中で急性心筋梗塞になって死にそこなった。死んでもおかしくない状態から、気がついたら（別に気絶をしていたわけではないが）無事帰還して、何もなかったように、再び絵を描き始めていた。

死を語ることと創作は無関係ではないように思う。絵も死への道程である。何のために描くのか、そんな目的はないが、あるとすれば画家も絵も両方とも、死ぬためである。そんなことを本書を語りながら気づいた。

横尾忠則(よこお ただのり)

一九三六年兵庫県出身。美術家。一九七二年、ニューヨーク近代美術館で個展。その後も各国のビエンナーレに出品、パリのカルティエ財団現代美術館、東京国立博物館他、内外で個展を開催。国際的に高評価を得る。毎日芸術賞、紫綬褒章、旭日小綬章、朝日賞、高松宮殿下記念世界文化賞等受賞多数。令和二年度東京都名誉都民、二〇二三年日本芸術院会員に。著書に小説『ぶるうらんど』(泉鏡花文学賞、文藝春秋)、『言葉を離れる』(講談社エッセイ賞、青土社)、小説『原郷の森』(文藝春秋)他多数。

集英社新書一一八六F

死《し》後《ご》を生《い》きる生《い》き方《かた》

二〇二三年一〇月二二日 第一刷発行

著者……横《よこ》尾《お》忠《ただ》則《のり》

発行者……樋口尚也

発行所……株式会社集英社

東京都千代田区一ッ橋二-五-一〇 郵便番号一〇一-八〇五〇

電話 〇三-三二三〇-六三九一(編集部)
〇三-三二三〇-六〇八〇(読者係)
〇三-三二三〇-六三九三(販売部)書店専用

装幀……原 研哉

印刷所……TOPPAN株式会社

製本所……加藤製本株式会社

定価はカバーに表示してあります。

ISBN 978-4-08-721286-0 C0270

Printed in Japan

a pilot of wisdom

好評既刊　集英社新書

文芸・芸術——F

美術館をめぐる対話	西沢立衛
音楽で人は輝く	樋口裕一
オーケストラ大国アメリカ	山田真一
証言 日中映画人交流	劉　文兵
荒木飛呂彦の奇妙なホラー映画論	荒木飛呂彦
あなたは誰？ 私はここにいる	姜　尚中
フェルメール 静けさの謎を解く	藤田令伊
司馬遼太郎の幻想ロマン	磯貝勝太郎
GANTZなSF映画論	奥　浩哉
池波正太郎「自前」の思想	佐高　信／田中優子
世界文学を継ぐ者たち	早川敦子
あの日からの建築	伊東豊雄
至高の日本ジャズ全史	相倉久人
荒木飛呂彦の超偏愛！映画の掟	荒木飛呂彦
水玉の履歴書	草間彌生
ちばてつやが語る「ちばてつや」	ちばてつや
日本映画史110年	四方田犬彦
読書狂《ビブリオマニア》の冒険は終わらない！	三上　延／倉田英之
文豪と京の「庭」「桜」	海野泰男
アート鑑賞、超入門！ 7つの視点	藤田令伊
なぜ『三四郎』は悲恋に終わるのか	石原千秋
荒木飛呂彦の漫画術	荒木飛呂彦
世阿弥の世界	増田正造
ヤマザキマリの偏愛ルネサンス美術論	ヤマザキマリ
テロと文学 9・11後のアメリカと世界	上岡伸雄
漱石のことば	姜　尚中
「建築」で日本を変える	伊東豊雄
子規と漱石 友情が育んだ写実の近代	小森陽一
安吾のことば 「正直に生き抜く」ためのヒント	藤沢　周 編
いちまいの絵 生きているうちに見るべき名画	原田マハ
松本清張「隠蔽と暴露」の作家	高橋敏夫
私が愛した映画たち	吉永小百合　取材・構成 立花珠樹
タンゴと日本人	生明俊雄

a pilot of wisdom

源氏物語を反体制文学として読んでみる　三田誠広
堀田善衞を読む　世界を知り抜くための羅針盤　池澤夏樹ほか
三島由紀夫　ふたつの謎　大澤真幸
慶應義塾文学科教授　永井荷風　末延芳晴
レオナルド・ダ・ヴィンチ　ミラノ宮廷のエンターテイナー　斎藤泰弘
モーツァルトは「アマデウス」ではない　石井宏
「井上ひさし」を読む　人生を肯定するまなざし　小森陽一　成田龍一　編著
百田尚樹をぜんぶ読む　杉田俊介　藤田直哉
北澤楽天と岡本一平　日本漫画の二人の祖　竹内一郎
音楽が聴けなくなる日　宮台真司　永田夏来　かがりはるき
谷崎潤一郎　性慾と文学　千葉俊二
英米文学者と読む「約束のネバーランド」　戸田慧
苦海・浄土・日本　石牟礼道子　もだえ神の精神　田中優子
万葉百歌　こころの旅　松本章男
拡張するキュレーション　価値を生み出す技術　暮沢剛巳
最後の文人　石川淳の世界　田中優子　小林ふみ子ほか
職業としてのシネマ　髙野てるみ

演劇入門　生きることは演じること　鴻上尚史
ドストエフスキー　黒い言葉　亀山郁夫
完全解説ウルトラマン不滅の10大決戦　古谷敏　やくみつる　佐々木徹
文豪と俳句　岸本尚毅
ＥＰＩＣソニーとその時代　スージー鈴木
ショパン・コンクール見聞録　青柳いづみこ
市民オペラ　石田麻子
新海誠　国民的アニメ作家の誕生　土居伸彰
書く力　加藤周一の名文に学ぶ　鷲巣力
死ぬまでに知っておきたい日本美術　山口桂
「鬱屈」の時代をよむ　今野真二
ゲームが教える世界の論点　藤田直哉
シャンソンと日本人　生明俊雄
永遠の映画大国　イタリア名画１２０年史　古賀太
江戸の芸者　近代女優の原像　赤坂治績
反戦川柳人　鶴彬の獄死　佐高信
ハリウッド映画の終焉　宇野維正

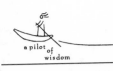

集英社新書　好評既刊

戦略で読む高校野球
ゴジキ　1173-H

二〇〇〇年以降、甲子園を制したチームを分析し、戦略のトレンドや選手育成の価値観の変遷を解き明かす。

トランスジェンダー入門
周司あきら／高井ゆと里　1174-B

「トランスジェンダー」の現状をデータで明らかにし、医療や法律などから全体像を解説する本邦初の入門書。

ウクライナ侵攻とグローバル・サウス
別府正一郎　1175-A

なぜ発展途上国の一部はウクライナへ侵攻するロシアを明確に批判しないのかを現地ルポを交え解き明かす。

スポーツの価値
山口　香　1176-B

勝利至上主義などスポーツ界の問題の根本原因を分析し、未来を切りひらくスポーツの真の価値を提言する。

スーフィズムとは何か　イスラーム神秘主義の修行道
山本直輝　1177-C

伝統イスラームの一角をなす哲学や修行道の総称スーフィズム。そのよく生きるための「実践の道」とは？

若返りホルモン
米井嘉一　1178-I

病的老化を止めるカギは最強ホルモン「DHEA」にある。最新研究が明らかにする本物のアンチエイジング。

日本が滅びる前に　明石モデルがひらく国家の未来
泉　房穂　1179-A

超少子高齢化や大増税で疲弊感が漂う日本。閉塞打破する方法とは？　やさしい社会を実現する泉流政治学。

アントニオ猪木とは何だったのか
入不二基義／香山リカ／水道橋博士／ターザン山本
松原隆一郎／夢枕　獏／吉田　豪　1180-H

哲学者から芸人まで独自の視点をもつ七人の識者が、あらゆる枠を越境したプロレスラーの謎を追いかける。

絶対に後悔しない会話のルール
吉原珠央　1181-E

人生を楽しむための会話術完全版。思い込み・決めつけ・観察。この三つに気を付けるだけで毎日が変わる。

疎外感の精神病理
和田秀樹　1182-E

コロナ禍を経てさらに広がった「疎外感」という病理。精神科医が心の健康につながる生き方を提案する。